BABRÀKOVCI

David Walliams

BABRÀKOVCI

Ilustroval Adam Stower

slovart

David Walliams
Babrákovci

Text © David Walliams 2023
Illustrations © Adam Stower 2023
Cover lettering of author's name © Quentin Blake 2010
David Walliams and Adam Stower assert the moral right to
be identified as the author and illustrator of this work.
Translation © Katarína Hajašová 2024
Slovak edition © Vydavateľstvo SLOVART, spol. s r. o.,
Bratislava 2024

Z anglického originálu David Walliams: *THE BLUNDERS,*
ktorý vyšiel vo vydavateľstve HarperCollins Childrens Book, London 2023,
preložila Katarína Hajašová.
Zodpovedná redaktorka Dáša Jajcayová
Editorka Katarína Škorupová
Sadzba a zalomenie ITEM, spol. s r. o., Bratislava
Tlač K A S I C O a. s., Bratislava

Cena uvedená na obálke knihy je nezáväzným
odporúčaním pre konečných predajcov.

ISBN 978-80-556-6540-5

10 9 8 7 6 5 4 3 2 1

www.slovart.sk

Pre Alfréda

Dúfam, že ťa táto kniha rozosmeje, pretože tvoj smiech je pre mňa ten najkrajší zvuk na svete.

Ocko

POĎAKOVANIE

POĎAKOVANIE SI ZASLÚŽIA:

CALLY POPLAK
Vydavateľka

CHARLIE REDMAYNE
Generálny riaditeľ

ADAM STOWER
Môj ilustrátor

PAUL STEVENS
Môj literárny agent

NICK LAKE
Môj redaktor

VAL BRATHWAITE
Kreatívna riaditeľka

ELORINE GRANT
Umelecká riaditeľka

MATTHEW KELLY
Umelecký riaditeľ

MEGAN REID
Redaktorka beletrie

SALLY GRIFFIN
Dizajnérka

GERALDINE STROUD
PR manažérka

TANYA HOUGHAM
Producentka audiokníh

ALEX COWAN
Vedúci marketingu

David Walliams

ÚVOD

—◆—

ZOZNÁM SA S BABRÁKOVCAMI

Babrákovci sú tá najzbabranejšia rodina, akú si vieš predstaviť.

Žijú v rozpadávajúcom sa vidieckom dome s názvom Babrákovské panstvo. Rozprestiera sa v samom srdci anglického vidieka a rodine patrí po stáročia.

Maľby visia hore nohami, tapety sa odlupujú zo stien a okná sú porozbíjané. Na ničom z toho však nezáleží. Dôležité je len to, že pre Babrákovcov je toto miesto **domov.**

Lord Bohuš Babrák

Otec rodiny je typický aristokratický trkvas. Je päťtisícdvestošesťdesiaty ôsmy v poradí na trón. Stačí, ak zomrie päťtisícdvestošesťdesiatsedem šľachticov pred ním a stane sa KRÁĽOM! Niežeby po tom túžil. Bohuš Babrák je totiž vynálezca! Vynašiel napríklad NAFUKOVACIE SPODKY, čo sa pri namočení nafúknu. Sú ideálne, keď spadneš do mora. Horšie je, keď ti do nich cvrkne. Bohuš je presvedčený, že jeho vynálezy prinesú rodine slávu a bohatstvo. Žiaľ, zatiaľ im nepriniesli ani jedno, ani druhé.

Jeho rodina ho napriek tomu veľmi ľúbi.

Lady Bianka Babráková

Bianka je Bohušova milovaná manželka. Spoznali sa pred dvadsiatimi rokmi sa Letnom bále pre vznešených trkvasov. Vrazili do seba a spadli priamo na poschodovú tortu. Keď si z tváre zotreli šľahačku, puding a želatínu, na prvý pohľad sa do seba zaľúbili.

Ako každá správna nóbl dáma, i Bianka je posadnutá koňmi. Najčastejšie ju stretneš v jazdeckom úbore.

Oháňa sa bičíkom a kričí HIJÓ!

Je tu len jeden drobný problém. Nemá koňa.

PEGAS

Pegas je vymyslený kôň lady Babrákovej.
Keďže neexistuje, ilustrátor s ním nemal
veľa práce. Pokojne si ho dokresli.

Stará Mama Babráková

Bohušova mama má osemdesiat rokov. Medzi jej
obľúbené kratochvíle patrí strieľanie, strieľanie
a ešte raz strieľanie. V ruke neustále zviera mušketu.
Jej manžel zomrel za záhadných okolností pri
nehode so zbraňou. Po jeho smrti sa najstarší syn
Bohuš stal pánom Babrákovského panstva.
Bohuš si rád namýšľa, že je hlavou rodiny.
Nie je to však pravda.
TO ANI NÁHODOU!
Opraty pevne drží v rukách stará mama Babráková.

Bela Babráková

Bela je dvanásťročná dcéra Bohuša a Bianky. S dvoma
zapletanými vrkočmi, vyparádená v baletnej sukničke
a tanečných topánkach, vyzerá ako anjelik. V skutočnosti
je to poriadny ČERTISKO! Bela je ockov miláčik. V jeho
očiach je dokonalá. Vďaka jeho bezhraničnému obdivu
je presvedčená, že je baletkou svetovej triedy, nadanou
maliarkou a majsterkou v cvičení s obručou. Podotýkam,
že žiadnu z týchto vecí v živote nerobila. Keby však
existovala súťaž v protivnosti k mladšiemu bratovi,
Bela by ju s prehľadom vyhrala.

BONIFÁC BABRÁK

Bonifác je malý ufúľaný desaťročný fagan. Oblečenie
má zakydané od hliny, džemu, omáčky, bahna
a sopľa. Je to Belin mladší brat. Na rozdiel od svojej
sestry sa Bonifác vyžíva v nechutnostiach.

Pojedá červy, ktoré vykopal v záhrade.

Utiera si nos do závesov.

Pije vodu z mlák.

Najväčšiu radosť má však z toho, keď je protivný
k svojej sestre.

Komorník Komorník

Komorník je jeho priezvisko, no Komorník zároveň pracuje ako komorník. Vďaka tejto šťastnej zhode náhod aspoň nik z rodiny nezabudne, ako sa volá. Alebo čo robí. Alebo oboje. Komorník pochádza z dlhej línie komorníkov. Spája ich rovnaká smola – musia slúžiť rodine Babrákovcov.

Hoci má komorník deväťdesiatdeväť rokov, je plný síl. Presnejšie povedané, poloplný. Teda vlastne poloprázdny.

CECIL

Cecil je domáci pštros. Patrí rodine Babrákovcov.
Asi ťa neprekvapí, že chovať doma pštrosa nie je
veľmi praktické. Nečudo, veď Babrákovci nie sú
praktická rodina. Cecilova najväčšia vášeň je ďobať
ľudí do zadku. K tomu sa dostaneme neskôr.

BARÓNKA

Barónka je otlčený automobil rodiny
Babrákovcov. Je to starožitný Rolls-Royce.
Motor mu zdochol už pred desaťročiami,
a tak ho vybavili štyrmi pármi pedálov.

Muž z Banky

Muž z banky je malý muž s veľkým
zlomyseľným plánom zmocniť sa
Babrákovského panstva.

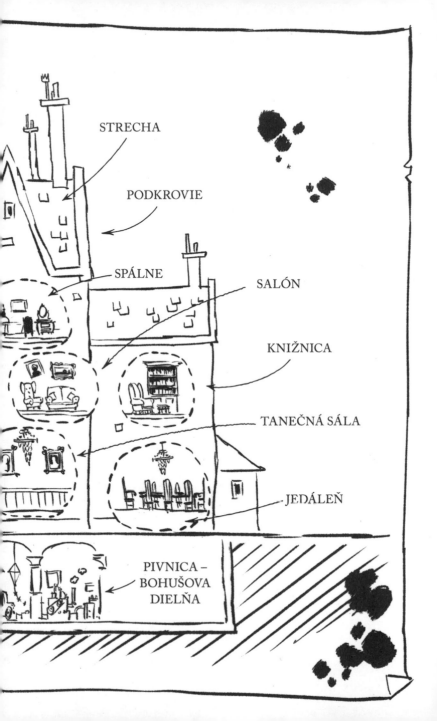

Otrasný nápad na druhú

I

Lord Bohuš Babrák mal **veľký** sen. Veril, že jeho sen zmení celý svet. Väčšinu dňa trávil vymýšľaním vynálezov, ktoré mu mali priniesť večnú slávu. Hlboko v podzemí Babrákovského panstva si zriadil dielňu. Pivnica bola zaprataná jeho „**geniálnymi**" vynálezmi.

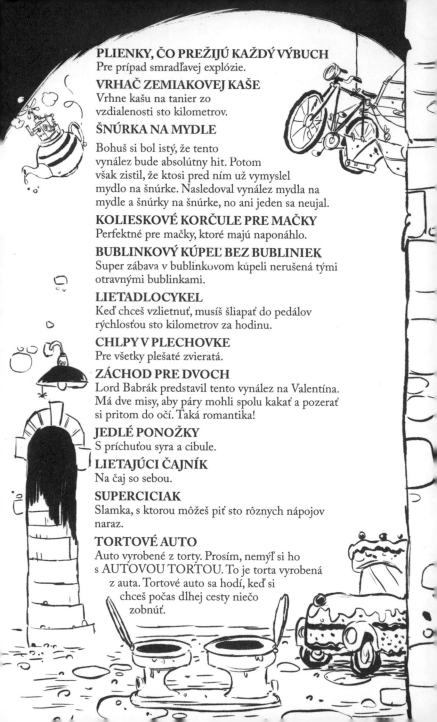

PLIENKY, ČO PREŽIJÚ KAŽDÝ VÝBUCH
Pre prípad smradľavej explózie.

VRHAČ ZEMIAKOVEJ KAŠE
Vrhne kašu na tanier zo
vzdialenosti sto kilometrov.

ŠNÚRKA NA MYDLE
Bohuš si bol istý, že tento
vynález bude absolútny hit. Potom
však zistil, že ktosi pred ním už vymyslel
mydlo na šnúrke. Nasledoval vynález mydla na
mydle a šnúrky na šnúrke, no ani jeden sa neujal.

KOLIESKOVÉ KORČULE PRE MAČKY
Perfektné pre mačky, ktoré majú naponáhlo.

BUBLINKOVÝ KÚPEĽ BEZ BUBLINIEK
Super zábava v bublinkovom kúpeli nerušená tými
otravnými bublinkami.

LIETADLOCYKEL
Keď chceš vzlietnuť, musíš šliapať do pedálov
rýchlosťou sto kilometrov za hodinu.

CHLPY V PLECHOVKE
Pre všetky plešaté zvieratá.

ZÁCHOD PRE DVOCH
Lord Babrák predstavil tento vynález na Valentína.
Má dve misy, aby páry mohli spolu kakať a pozerať
si pritom do očí. Taká romantika!

JEDLÉ PONOŽKY
S príchuťou syra a cibule.

LIETAJÚCI ČAJNÍK
Na čaj so sebou.

SUPERCICIAK
Slamka, s ktorou môžeš piť sto rôznych nápojov
naraz.

TORTOVÉ AUTO
Auto vyrobené z torty. Prosím, nemýľ si ho
s AUTOVOU TORTOU. To je torta vyrobená
z auta. Tortové auto sa hodí, keď si
chceš počas dlhej cesty niečo
zobnúť.

Jedného dňa Bohušovi napadla prevratná myšlienka. Vlastná genialita ho tak šokovala, že na chvíľu odpadol.

TRESK!

II

„HEURÉKA! SÓLOTOPÁNKA! JEDNA TOPÁNKA, DO KTOREJ SA ZMESTIA OBE NOHY NA-RAZ!" zvolal Bohuš.

Stál uprostred dielne v pivnici a predvádzal svoj najnovší vynález mužovi z banky. Obe nohy mal natlačené vo veľkej topánke.

„Predpokladám, že ste zdatný skokan," poznamenal muž z banky.

Bol to uhladený nízky chlapík s elegantným čiernym klobúčikom v lone.

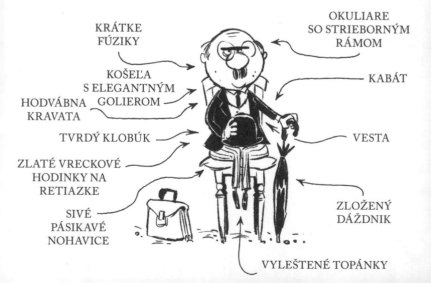

KRÁTKE FÚZIKY

OKULIARE SO STRIEBORNÝM RÁMOM

KOŠEĽA S ELEGANTNÝM GOLIEROM

KABÁT

HODVÁBNA KRAVATA

TVRDÝ KLOBÚK

VESTA

ZLATÉ VRECKOVÉ HODINKY NA RETIAZKE

SIVÉ PÁSIKAVÉ NOHAVICE

ZLOŽENÝ DÁŽDNIK

VYLEŠTENÉ TOPÁNKY

Bohuš sa od neho nemohol viac líšiť. Na hlave mal divoký výbuch a na sebe sveter obžratý od molí. Nemal opasok – nohavice mu držali na motúze. Hoci bol Bohuš lord a majiteľ obrovského vidieckeho sídla, s peniazmi bol na tom biedne. Každý rok minul obrovskú čiastku na to, aby Babrákovské panstvo zachránil pred zrútením. Preto mu na jeho vynálezoch tak záležalo.

Veril, že vďaka nim problémy s peniazmi navždy pominú.

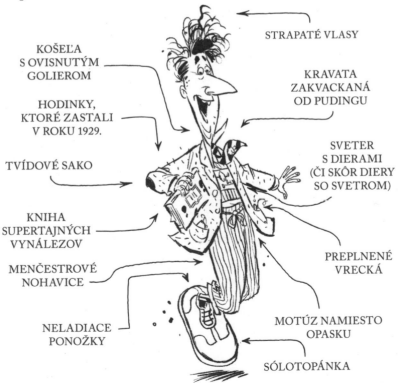

KOŠEĽA
S OVISNUTÝM
GOLIEROM

HODINKY,
KTORÉ ZASTALI
V ROKU 1929.

TVÍDOVÉ SAKO

KNIHA
SUPERTAJNÝCH
VYNÁLEZOV

MENČESTROVÉ
NOHAVICE

NELADIACE
PONOŽKY

STRAPATÉ VLASY

KRAVATA
ZAKVACKANÁ
OD PUDINGU

SVETER
S DIERAMI
(ČI SKÔR DIERY
SO SVETROM)

PREPLNENÉ
VRECKÁ

MOTÚZ NAMIESTO
OPASKU

SÓLOTOPÁNKA

„Áno. Je takmer isté, že majiteľ sólotopánky bude musieť namiesto chodenia poskakovať," odvetil Bohuš. „Ale predstavte si, koľko času ušetríte, keď si namiesto dvoch topánok budete obúvať iba jednu!"

Muž z banky si vzdychol. Bohuš mu za posledné roky predviedol celú hŕbu strelených vynálezov. Dúfal, že banka do nich zainvestuje, no všetky boli vopred odsúdené na neúspech.

„Ukážem vám, ako funguje sólotopánka!" povedal Bohuš a začal poskakovať po dielni.

HOP! HOP! HOP!

Narazil do stola...

BUM!

... zhodil svoje vynálezy z políc...

PRÁSK!

... a pristál na kolenách mužovi z banky.

Š U P !

„ZLEZTE ZO MŇA, VY BLÁZON!"

„Drobná nepríjemnosť!" zatrilkoval Bohuš, keď sa vyštveral na nohy.

Muž z banky skúmal svoj klobúk, ktorý teraz pripomínal baretku.

„POZRITE SA, ČO STE VYVIEDLI!" zahrmel.

„Prvý zmenšujúci sa klobúk na svete!" potešil sa Bohuš a vzal ho do rúk. „Dajte sem, napravím vám ho."

Snažil sa klobúk povystierať, no namiesto toho doň päsťou urobil dieru.

„Hups!" hlesol Bohuš a položil ho mužovi na hlavu.

„Keď tak nad tým rozmýšľam, tento vynález by sa mohol uchytiť! Historicky prvý klobúk s vetraním!"

Nízky chlapík zúrivo vyskočil zo stoličky.

„Už mám po krk tých vašich NEZMYSLOV!"

„Chcete tým povedať, že mi banka nepožičia peniaze, aby sólotopánka prerazila vo svete?" spýtal sa Bohuš skľúčene.

„Prerazila?! To už skôr vedci zistia, že Zem je plochá!"

„Hm, a nie je?" začudovane sa opýtal Bohuš.

„Zbohom, Babrák! Nech vám už ani nenapadne otravovať banku," povedal muž a vybral sa ku kamenným schodom.

„Ale sólotopánka je môj najlepší vynález!"

„Omyl. Je to váš najhlúpejší vynález. A to už je čo povedať."

„Som si istý, že by som predal miliardy kusov! Celý svet by poskakoval!"

„STE OBYČAJNÝ ŠAŠO, BABRÁK!" odvetil muž a chcel odísť.

„Sólotopánka sa stane SENZÁCIOU! Stavil by som na to svoj dom!"

Muž z banky zamrzol. Otočil sa k Bohušovi. Na tvári sa mu pohrával zlovestný úsmev.

„Stavili by ste Babrákovské panstvo na úspech sólotopánky?"

„Samozrejme! Takéto výnimočné nápady prichádzajú iba raz za život. Topánka na obe nohy bude mať úspech!" odvetil Bohuš, poskakujúc na mieste, aby nespadol.

„Ak sa mýlite, pripadne Babrákovské panstvo banke."

„HA! HA! Vylúčené! Toto je náš domov a tak to zostane navždy."

„To sa ešte uvidí," zamrmlal si muž popod fúzy, keď sa po schodoch vracal naspäť do dielne. Podišiel k Bohušovi a siahol do svojej aktovky. V ruke držal akési dokumenty.

„Toto je zmluva o pôžičke. Bežné tlačivo. Čistá formalita. Prosím, podpíšte sa sem a sem," povedal a vytiahol z vrecka zlaté pero. „Ja za vás vyplním všetko ostatné."

„Milé od vás, že mi ušetríte námahu!"

„S radosťou," odvetil muž, potláčajúc úškľabok.

Bohuš nedočkavo schmatol pero, no držal ho opačne. Snažil sa načarbať svoj podpis.

„Máte ho naopak, lord Babrák."

„Hups!" zasmial sa Bohuš, otočil ho a nečitateľne naškriabal svoj podpis.

„Prosím, podpíšte aj túto kópiu, lord Babrák. Je to prc vašu bezpečnosť."

„Jasnačka!" odvetil Bohuš a znova sa podpísal.

„Banka vám požičia sumu desaťtisíc libier, aby ste rozbehli výrobu sólotopánok.  Máte rok na to, aby sa vám to podarilo. V opačnom prípade vám Babrákovské panstvo zhabeme."

„To sa ešte uvidí!"

„Presne tak."

„Ďakujem vám! Ďakujem! Ďakujem!" vyhŕkol Bohuš.

Bol taký nadšený, že sa vrhol na muža, objal ho a zodvihol na ruky.

„DAJTE MA NA ZEM, LORD BABRÁK!"

„Hups! Prepáčte, dal som sa trochu uniesť. Už sa neviem dočkať, kedy túto úžasnú novinu oznámim ostatným! Budú HOTOVÍ!"

„Nepochybne," odvetil muž z banky medovým hlasom.

III

Lord Babrák postavil továreň na sólotopánky a pustil sa do výroby tisícov topánok. Žiaľ, predal iba jednu-jedinú.

Kúpil ju istý Belgičan, ktorý mal len jednu nohu a nechcel si zbytočne kupovať dve topánky. Na druhý deň ju však vrátil, pretože na jednu nohu bola priveľká. Bohuš mu vrátil peniaze a ešte v ten istý deň továreň zatvoril. Vďaka svojej naivite prišiel o pôžičku z banky do poslednej pence.

Muž z banky sa vrátil do Babrákovského panstva. Od jeho poslednej návštevy uplynul na minútu presne jeden rok. Bohuš ho prijal v salóne. Nízky muž sa vydriapal na vysokú stoličku. Nohy sa mu hojdali vo vzduchu. Bol ešte upravenejší než predtým. Na hlave mal parádny nový klobúk a na tvári úškrn.

„Babrák! Vaša továreň skrachovala! Prišli ste o poslednú pencu z vašej pôžičky," oznámil malý muž. „A onedlho prídete aj o svoj dom."

„Ale... ale... ale... kde budú potom Babrákovci bývať?" bľabotal Bohuš, nervózne pochodujúc po izbe.

„Pre mňa, za mňa, môžete bývať hoci aj v priekope."

„Koľko máme času?" spýtal sa Bohuš.

„Ach, dobre, že sa pýtate. Od dneška máte presne mesiac, aby ste svoj dlh v plnej výške splatili. Ak sa vám to podarí, môžete si dom nechať."

„Božemôj! Božemôj! Božemôj!"

„Upozorňujem vás, Babrák, že ak presne o mesiac s úderom polnoci nevrátite desaťtisíc libier, banka vám zhabe panstvo!"

„Ale toto je predsa náš domov!"

„Nie nadlho."

„TO NEDOPUSTÍM!" zreval Bohuš. „Musí existovať spôsob, ako Babrákovské panstvo zachrániť!"

Muž z banky siahol do koženej aktovky a vytiahol zmluvu, ktorú Bohuš podpísal.

„Nie. Stojí to tu čierne na bielom."

„Myslím, že nás podceňujete, pane. Bez boja sa nevzdáme!"

Bohuš vstal z kresla, podišiel k dverám a zvolal:

„BABRÁKOVCI, POĎTE VŠETCI SEM!"

Babrákovci jeden za druhým vplávali do obývačky. Bohušova žena Bianka vošla prvá. Od hlavy po päty vystrojená v jazdeckom obleku vcválala do miestnosti. Potom sa jazdeckým bičíkom plesla po zadku a zvolala:

„PŔŔŔŔŔ!"

Muž z banky si ju premeriaval tak nedôverčivo, akoby bola úplne ŠIBNU-

TÁ. Nebol ďaleko od pravdy.

„S kým sa to rozpráva-te?" spýtal sa.

„S Pegasom," odvetila Bianka a zazubila sa.

„Kto je Pegas?"

„Predsa môj kôň, hlupáčik! Prosím, odpustite mu. Dnes je akýsi pojašený. Pokojne, Pegas! Pokojne!"

Potom pobozkala vzduch na mieste, kde mala byť hlava vymysleného koňa. Vzápätí sa otočila k svojmu manželovi a pobozkala aj jeho.

„CMUK! Prepáč, drahý. Teba som mala pobozkať prvého," žartovala.

„Pegas je vždy na prvom mieste," odvetil Bohuš.

„S výnimkou pretekov."

Lady Babráková sa otočila k mužovi z banky.

„Chcete si Pegasa pohladkať?"

„NIE! NA ROZDIEL OD VÁS NIE SOM BLÁZON!"

„Nie tak nahlas, prosím," odvetila Bianka. „Vystrašíte mi koňa."

Ďalší sa dovalil Bonifác. Vyzeral, akoby ho niekto hodil do živého plota, čo bola pravda. Ten niekto bol on sám. Mal zafúľanú tvár a vo vlasoch listy a vetvičky. Čosi zvieral v ruke.

„Čo som ZASA urobil?" durdil sa.

„Neviem. Priznaj sa sám!" odvetila mama.

„Aha. Myslel som si, že mám domáce väzenie."

„Zaslúžil by si si ho?"

„Asi hej. POZRITE!" Chlapec roztvoril dlaň a ukázal obrovského sliznika.

„Sliezniaky nepatria do domu, Bonifác! Koľkokrát ti to mám opakovať?"

„Ešte aspoň desať alebo jedenásťkrát. Potom si to už hádam zapamätám. Okrem toho, nie je to sliezniak. Je to šušeň. SLEDUJ!" zvolal chlapec a strčil si ho do jednej nosnej dierky.

Muž z banky pri pohľade na nechutné predstavenie s odporom zatskal.

„TS! TS! TS!"

Bonifác k nemu priskočil a vytiahol z vrecka ďalšiu háveď.

„Môžem vám do nosa strčiť húsenicu?"

„Nie, ďakujem, chlapče!"

„Neviete, o čo prichádzate," pokrčil chlapec plecami a vopchal si húsenicu do vlastnej nosnej dierky. „TREFA!"

Vtom do obývačky vtancovala Bela. Na sebe mala nazberkanú sukňu. Pohmkávala si baletné tóny, krútila sa po miestnosti a predvádzala sa ostošesť.

„Naša malá hviezda!" zvolal nadšene Bohuš a objal svoju ženu okolo pliec. „Verili by ste tomu, že vôbec nechodí na balet?"

„Veľmi ľahko," zamrmlal muž z banky.

Hrdí rodičia pozorovali svoju dcéru, ktorá uprostred izby predvádzala piruetu na jednej nohe.

„POZRI, MAMULIENKA! POZRI, TATULIENKO!" volala.

„BRAVO!" jasali rodičia.

Bela si užívala svojich päť minút slávy a točila sa čoraz rýchlejšie a rýchlejšie. Pripomínala vĺčika tancujúceho po celej izbe.

D R R R R R !

Namyslený výraz v jej tvári

vystriedala panika. Uvedomila si, že nad sebou stráca kontrolu.

D R R R R R R !

Dokrútila sa k mužovi z banky.

D R R R R R R !

„CHOĎ ODO MŇA PREČ!" zvrieskol muž a snažil sa jej uhnúť z cesty.

Kopla ho nohou priamo do nosa.

BAM!

Sila úderu mu zhodila z hlavy klobúk. Vyletel vysoko do vzduchu...

VUŠŠŠ!

... a vzápätí...

PRÁSK!

... sa rozletel na kusy.

V

Vo dverách stála stará mama Babráková. V ruke zvierala dymiacu mušketu.

„Prečo ste mi zostrelili klobúk?" nahnevane sa spýtal muž z banky, držiac si narazený nos.

„Myslela som si, že je to lietajúci jazvec," odvetila stará mama.

„JAZVEC PREDSA NEVIE LIETAŤ!"

„O dôvod viac, prečo ho zastreliť. Kto vlastne ste, vy čudný malý chlap?"

„Som riaditeľ banky. Váš syn..."

„Sprostý syn."

„Prepáčte. Váš sprostý syn si od banky požičal desaťtisíc libier na výrobu sólotopánok."

„Otrasný nápad!"

„Súhlasím s vami, sólotopánka je skutočne otrasný nápad."

„Chcela som povedať, že pôžička z banky je otrasný nápad. Bol to jednoducho otrasný nápad na druhú."

Muž z banky prevrátil oči. Stará mama sa otočila k svojmu synovi.

„Už mám tých tvojich šialených vynálezov po krk, Bohumil! Jedného dňa nás načisto zruinujú."

„Ale..."

„ŽIADNE ALE, SYNAK!" odsekla stará mama a otočila sa naspäť k mužovi z banky. „Čo sa nám to snažíte naznačiť? Rýchlo vravte! Ponáhľam sa na lov lietajúcich jazvecov."

„Ak nesplatíte dlh, o mesiac bude Babrákovské panstvo patriť banke."

„ČOŽE? Tento dom patrí našej rodine stovky, ak nie dokonca milióny rokov!"

„Nuž, onedlho vám už patriť nebude. A tu je dôkaz!" zvolal chlapík a víťazoslávne mával zmluvou.

Len čo to dopovedal, pštros k nemu natiahol svoj dlhokánsky krk a vyšklbol mu papier z ruky. Zhltol ho na jeden šup.

„ŠKREK!"

„Prečo máte v dome pštrosa?" ohromene sa spýtal muž z banky.

„Cecil je naše domáce zvieratko," odvetil Bohuš a potľapkal vtáka po mohutnom chrbte.

„Kto by už len doma choval PŠTROSA?"

„My," povedal Bohuš.

„Drž, prosím ťa, Cecila ďalej od Pegasa, drahý," dodala

lady Babráková. „Naposledy ho Cecil ďobol do zadku a Pegas ma kopol."

„Všetkým vám ŠIBE! Načisto vám PRESKOČI-LO!" vykrikoval muž z banky. „Máte presne mesiac, Babrákovci! Ani o sekundu viac! Potom urobíme z Babrákovského panstva polepšovňu!"

„P-polepšovňu?" jachtala Bianka. „Väzenie pre neposlušné deti?"

„Jéj, super nápad!" potešil sa Bonifác. „Aspoň sa nemusím sťahovať."

„Ale my ostatní áno," povedal zronene Bohuš. „Sťahovať sa?! To je nepredstaviteľné."

„Tak či onak, z Babrákovského panstva bude onedlho Babrákovská polepšovňa," vyhlásil muž z banky.

„Zrejme ste zabudli na to, že Cecil zjedol zmluvu o pôžičke," poznamenala stará mama. „Babrákovské panstvo patrí nám. NAVŽDY!"

„HURÁ!" jasali Babrákovci.

„Myslíte si, že som hlúpy?" naježil sa muž z banky. „Mám kópiu s vlastnoručným podpisom lorda Babráka!"

Muž siahol do aktovky a vybral ju. Cecil sa na ňu ihneď vrhol.

„ŠKREK!"

Muž sa po vtákovi zahnal dáždnikom.

„ŠIC! ŠIC!"

No Cecil bol očividne hladný.

„ŠKREK! ŠKREK! ŠKREK!"

Muž z banky kľučkoval po izbe. Cecil utekal za ním a ďobal ho do zadku.

ĎOB! ĎOB! ĎOB!

„AU! AU! AU!"

Muž z banky roztvoril dáždnik a snažil sa ho použiť ako štít. Problém bol, že vôbec nevidel, kam kráča.

TRESK!

Narazil priamo do komorníka Komorníka, ktorý stál vo dverách. V rukách držal strieborný podnos s čajom a keksíkmi.

„Práve sa podával popoludňajší čaj," poznamenal pri pohľade na spúšť na zemi.

Muž z banky bol zababraný od džemu a smotany. So zatvorenými očami zúfalo kričal:

„PUSTITE MA! CHCEM ÍSŤ ODTIAĽTO PREČ!"

Zvieral kópiu zmluvy a zakopol o taburetku...

PUF!

... a urobil salto von oknom.

HOPLÁ!

Babrákovci pribehli k oknu a sledovali, ako muž z banky naskočil do svojho obrovského Bentley. Auto odfrčalo preč.

BRMMMM!

Narazilo do bronzovej brány Babrákovského panstva...

HRK!

... a stratilo sa v tme.

„Ak chce z tohto miesta spraviť polepšovňu, bude musieť tú bránu opraviť," poznamenala Bela.

„NEBUDE TU ŽIADNA POLEPŠOVŇA!" zahrmela stará mama.

„Povedal, že bude," namietla Bela.

„LEN CEZ JEHO MŔTVOLU!"

„Nemyslela si náhodou cez MOJU mŕtvolu, mamička?" ozval sa Bohuš.

„NIE!"

„BABRÁKOVCI!" oslovil Bohuš rodinu. „Musíme nahrabať desaťtisíc libier, inak NAVŽDY prídeme o Babrákovské panstvo!"

„Koľko máme v pokladničke?" spýtala sa Bela.

Komorník sa došuchtal k malému porcelánovému prasiatku, čo stálo na krbe. Zahrkal ním a vysypal z neho peniaze.

„Tridsať libier, päť šilingov, dve pence a jeden gombík."

„Ten gombík skúsime predať," navrhla Bianka.

„Och! Ešte som našiel žetón," dodal komorník.

„BABRÁKOVCI!" ozval sa Bohuš. „MÁME PRESNE MESIAC, ABY SME ZACHRÁNI-LI SVOJ DOMOV. PODARÍ SA NÁM TO, LEN KEĎ BUDEME DRŽAŤ SPOLU AKO RODINA. BABRÁKOVCI PROTI CELÉMU SVETU! KTO BUDE SO MNOU BOJOVAŤ O BABRÁKOVSKÉ PANSTVO?"

„JA!" zvolali všetci okrem Cecila, ktorý zaškriekal.

„ŠKREK!"

„BABRÁKOVCI! DO AKCIE!"

„HURÁ!"

Zbabraný babrákovský Orchester

I

Predstav si túto scénu.

Je noc. Babrákovské panstvo sa kúpe v striebristom svite mesiaca. Pri koncertnom krídle vo vstupnej hale sedí dievča s výrazom profesionálnej klavírnej virtuózky.

Má zatvorené oči.

Hlavou zľahka kyvká do rytmu.

Prsty jej tancujú po klávesoch.

BUCH! TRESK! DADAM!

BENG! BONG! BING! ŠVÁC!

TEN ZVUK BY UTÝRAL AJ HLUCHÉHO!

Znie to, akoby niekto trieskal do klavíra kladivom.

Otec dievčaťa oblečený v pyžame pomaly zostupuje po schodoch. V očiach sa mu zalesknú slzy. Nie slzy bolesti z toho rámusu, ale slzy dojatia.

Keď Bela poslednýkrát treskla do klavíra...

DUMMMMMMM!

... Bohuš nadšene zatlieskal.

ŤAP! ŤAP! ŤAP!

Bela vstala z klavírnej stoličky a vrhla sa mu do náručia. Otec ju zodvihol a zatočil.

„Som génius, však, tatulienko?"

„Si ten najgeniálnejší génius na svete!"

„A pritom som nikdy nechodila na hodiny klavíra!"

„Našej rodine koluje talent v žilách! Som si istý, miláčik, že sa do histórie zapíšeš ako najlepšia koncertná klaviristka všetkých čias!"

„To je úplne jasné," odvetila Bela. „Toto ešte nič nebolo, tatulienko. Len počkaj, keď ti zaspievam operu!"

„Ty vieš spievať operu?"

„Samozrejme!"

„Nespomínam si, že by som ti platil hodiny spevu."

„Žiadne nepotrebujem. Počúvaj!"

Bela sa vymanila z otcovho objatia a letela naspäť ku klavíru. Začala hrať...

DING! BUNGBENG! TRESK! PLESK! NUDUNUDUNUDUFUNK! PINGPONG!

... a spievať...

„TÁDIDÁDIDÁ ŠALALALALÍ JODIJA-DIJUDI PAM PUM POM HILIPILI FABA-JUJA PRD!"

Tebe i mne, vlastne komukoľvek, kto sa nevolá Babrák, musí byť jasné, že to bola ÚPLNÁ SO-MARINA.

Dokonca aj Bohuš vyzeral trochu vyvedený z miery.

O sedem hodín nato dospela opera k veľkolepému záveru.

„HUDRYMUDRY LÁRYFÁRY MÚ!"

Bohuš sa dojato spýtal:

„Akou rečou si spievala, zlatíčko?"

„Ovládam sto rôznych jazykov. Každé slovo som zaspievala inak. Po francúzsky. Po taliansky. Po nemecky. Po rusky. Po japonsky!"

„Už tomu rozumiem. Dovoľ mi však spýtať sa – kto skomponoval toto majstrovské dielo?"

„Ja, tatulienko!"

„Ty si napísala operu?"

„Samozrejme. Na svete nie je nič, čo by som nedokázala."

Bohušovi zasvietili oči.

„Tvoj talent nám pomôže zachrániť Babrákovské panstvo!"

„Ako?"

„Ľudia z celého sveta sa sem budú hrnúť, aby ťa počuli hrať."

„Ach, TATULIENKO! Najradšej by som od šťastia SPIEVALA!"

„Radšej nie. Celý deň sme rozmýšľali, kde nájdeme desaťtisíc libier a odpoveď nám pritom celý čas kričala priamo do ucha! Ty, Bela, si odpoveďou na naše modlitby!"

„Vždy som vedela, že som hviezda! Hneď ako som sa narodila. Dokonca ešte predtým."

„Tento plán nám zaručene vyjde!"

Ako sa onedlho ukázalo, NEVYŠIEL.

Na druhý deň ráno sa Babrákovci stretli v jedálni pri spoločných raňajkách. Komorník im na striebornom podnose naservíroval vajce natvrdo. No hneď ako ho položil na tanierik, spod stola sa vynorila Cecilova hlava...

„ŠKREK!"

... a vajce zmizlo v zobáku.

Bohuš sa postavil a predostrel plán na záchranu panstva. Svoj prejav zakončil slovami:

„Dnes odštartujeme hviezdnu kariéru našej talentovanej dcéry a usporiadame záhradný koncert."

„Ak bude Bela spievať, budem potrebovať pštrosie hovienka ako štuple do uší," odfrkol si Bonifác.

„Tatulienko," ozvala sa Bela, „pošli ho do Peru."

„Deti, nehádajte sa," ozvala sa mama.

„Žiarli, že som talentovaná!" zvolala Bela.

„Ja som ešte talentovanejší," nedal sa Bonifác.

„Aký už len *ty* máš talent?" podpichla ho Bela.

„Dokážem prdmi posúvať veci. SLEDUJ!"

Bonifác predviedol nechutné divadlo. Čupol si na stoličku a namieril zadok na lyžičku, čo ležala na stole.

PUFFF!

VZZZZZUM!

Lyžička vystrelila po stole, narazila do čajníka, vyletela do vzduchu a udrela Belu do nosa.

„AU!"

„TA-DÁ!" víťazoslávne zvolal Bonifác.

„Tvoje smradľavé prdy nám nezarobia ani libru!"

„Zarobia!"

„Nezarobia!"

„Áno!"

„Nie!"

„ÁNO!"

„NIE!"

PRÁSK!

Zo stropu sa zosypala omietka.

Keď sa oblak prachu rozplynul, odhalil starú mamu sediacu za vrchstolom. V ruke zvierala mušketu.

„UŽ MÁM PO KRK TÝCH NEZMYSLOV! Ak chcete zachrániť náš domov, okamžite sklapnite a počúvajtc ma! Spravíme to podľa mňa!"

Bohušovou úlohou bolo šoférovať šliapací Rolls-Royce. S komorníkom priviazaným na streche mal obísť všetky vidiecke sídla v krajine.

Komorník mal do megafónu robiť reklamu záhradnému koncertu.

„DNES VEČER SA V ZÁHRADE BABRÁKOVSKÉHO PANSTVA BUDE KONAŤ KONCERT KLASICKEJ HUDBY! CENA IBA ŠTYRI LIBRY ZA PÔSOBIVÚ DEVÄŤHODINOVÚ OPERNÚ ŠOU!"

Babrákovci nevedeli hrať na hudobné nástroje, lebo doma žiadne nemali. Bianka dostala za úlohu ich vyrobiť. Rodina na nich mala sprevádzať Belu pri hre na klavíri.

Bianka robila, čo mohla, aby z rárohov v dome vyčarila hudobné nástroje:

- Tubu zo starej cínovej vane a šnorchla.

- Harfu zo zlomeného obrazového rámu a šnúrok do topánok.

- Husle z otlčenej dózy na keksíky a šnúry zo šarkana. Ako sláčik slúžilo drevené pravítko s pripevnenou gumičkou.

- Xylofón z dosky na žehlenie s prilepeným kuchynským náčiním. Jemné xylofónové paličky nahradili kriketové pálky.

- Činely z dvoch pokrievok na hrnce.

Bonifác mal presunúť klavírne krídlo zo vstupnej haly na terasu. Nebola to ľahká úloha, pretože musel klavír zdvihnúť zo zeme a prepchať cez okno.

Bonifác sa škodoradostne zachechtal:

„CHI! CHI! CHI!"

Bola to dokonalá príležitosť niečo vyparatiť!

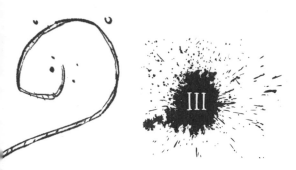

Pod sestriným prísnym dohľadom Bonifác zostrojil dômyselné zariadenie s kladkou a so závažím. Najskôr prehodil lano cez luster, ktorý slúžil ako kladka. Jeden koniec lana priviazal o sestrinu skriňu, ktorá stála navrchu schodiska.

Druhý koniec priviazal o klavír vo vstupnej hale. Skriňa a klavír slúžili ako závažie.

VYZERALO TO TAKTO:

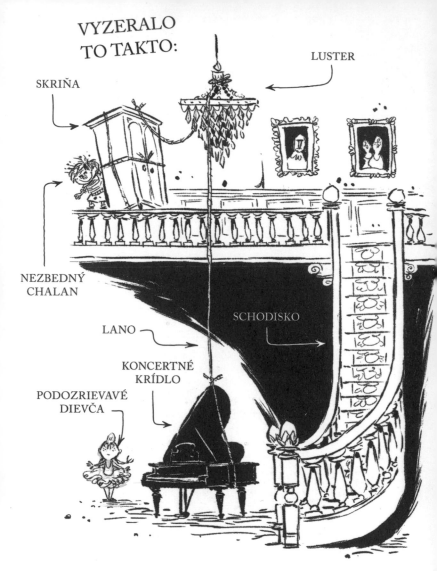

SKRIŇA

LUSTER

NEZBEDNÝ CHALAN

LANO

SCHODISKO

KONCERTNÉ KRÍDLO

PODOZRIEVAVÉ DIEVČA

Na rade bola najodvážnejšia časť Bonifácovho potvorského plánu. Chlapec prehodil skriňu cez zábradlie a naskočil na ňu.

ŠUP!

Váha skrine spolu s chlapcovou váhou zodvihli klavír zo zeme.

„OPATRNE!" kričala Bela z prízemia.

Bonifác bol všelijaký, len nie opatrný. Pohojdával sa na skrini tam a späť.

„ZEM NA OBZORE!" zvolal. Hral sa na piráta, čo preskakuje z lode na loď.

„ČO TO STVÁRAŠ, TY CVOK?"

„UVIDÍŠ!"

Skriňa narazila do klavíra.

ŠLÁH!

„NIÉÉÉ!" zaúpela Bela.

„UÁÁÁ!" zreval víťazo-
slávne Bonifác.

Klavír napálil do steny.

PRÁSK!

„PRESTAŇ!" zavýjala
Bela.

No Bonifác ešte neskončil. Zoskočil zo skrine na
podlahu. To spôsobilo, že skriňa vyletela hore a klavír
zletel na zem. Skriňa nabúrala do lustra.

BUM!

CINK!

Obe veci sa roztrieskali na
cimpr-campr.

Klavír medzitým s rachotom
pristál na zemi.

DRUZG!

Náraz ho zlomil na polovicu.

PUK!

„NIE!" kvílila Bela.

Z koncertného krídla bolo zlomené krídlo. Jedinou výhodou bolo, že sa bez problémov zmestilo cez dvere.

„POMSTA BUDE SLADKÁ!" zvrieskla Bela. Vrhla sa na brata a priviazala mu koniec lana o nohavice. Potom zatiahla za druhý koniec lana. Malý grázlik vystrelil nahor a udrel si hlavu o strop.

ŠVÁC!

Bela pustila lano a Bonifác zletel na zem. Tvrdo dopadol na zadok.

BUM!

Bela celý postup zopakovala ešte stokrát.

ŠVÁC!

BUM!

ŠVÁC!

BUM!

ŠVÁC!

BUM!

ŠVÁC!

Najradšej by to opakovala donekonečna, no vtom na schodoch začula otcove kroky.

„Dcérenka!" zvolal Bohuš. „Mám úžasné správy! Všetci vznešení trkvasi z krajiny prijali pozvanie na náš koncert. Večer z nás budú boháči!"

Vtom jeho zrak padol na spúšť okolo.

„Vidím, že sa tu prihodila drobná nepríjemnosť," hlesol.

IV

Popoludní sa Babrákovci zišli na skúške. Všetci okrem Bianky stáli na terase. Tá postávala na trávniku a česala vzduch.

„ČO TO, DOPEKLA, STVÁRAŠ?" rozčuľovala sa stará mama.

„Češem Pegasa," odvetila Bianka.

„OKAMŽITE POĎ SEM!"

„Ešte mu musím očesať chvost."

„POVEDALA SOM OKAMŽITE!"

Bianka poťapkala vzduch a vykročila k terase.

„Konečne sme tu všetci. Môžeme začať," vyhlásila stará mama.

Je jasné, že hlava rodiny prevzala rolu dirigentky. Mušketa jej slúžila ako taktovka. Úplne vpredu sedela Bela. Hrala na tom, čo zostalo z koncertného krídla.

Za ňou sedela jej rodina a zo všetkých síl hrala na podomácky vyrobených hudobných nástrojoch.

Zvuk, ktorý vydávali, bol jednoducho... PRÍ-ŠERNÝ!

PLUDANK! HUBABUBA! ŠUNTYLUNT!

Bela spievala.

„LUPICUPI! GRUMIBRUM! FLAPIŠLAP!"

Komorník, ktorý otrasné predstavenie počúval s prstami v ušiach, dostal nápad.

„Prepáčte," ozval sa, „no napadlo mi, či by gramofón..."

„TAK VRAV, ČLOVEČE!" zahrmela stará mama. „NEHUNDRI SI POPOD NOS! NEMÁME ČAS NA TVOJE LÁRY-FÁRY! A ANI NA TVOJE FÁRY-LÁRY!"

„Ehm," odkašľal si komorník. „Napadlo mi, že by vám mohol pomôcť gramofón."

Bol to jednoduchý, no GENIÁLNY nápad!

„Koncert začína o hodinu. Ak dovolíte, prenesiem gramofón z hudobného salóna na terasu. V dome som videl starú zaprášenú platňu s Mozartovou operou *Čarovná flauta*. Môžem ju pustiť a vy budete iba otvárať ústa."

„NIÉÉÉ!" nariekala Bela. „To nie je fér! JA spievam ako anjel!"

„Hlúposť," odvrkla stará mama. „Spievaš ako priškrtená koza. Ešteže som dostala tento skvelý nápad! Komorník, prines gramofón."

Starec dotlačil drevenú škatuľu na terasu. Ukryl ju pod podomácky vyrobený xylofón, aby diváci neodhalili podfuk. Otvoril poklop a prekvapene vyvalil oči.

„Nerád vám kazím radosť, ale na tom gramofóne chýba ihla."

„MÁRNOSŤ ŠEDIVÁ!" zaúpel Bohuš.

V rovnakej chvíli sa na štrkovej príjazdovej ceste ozvali kroky.

„PRICHÁDZAJÚ DIVÁCI!" vykríkla Bianka. „ČO BUDEME ROBIŤ?"

„Potrebujeme niečo špicaté namiesto ihly," povedal komorník.

„Mám nápad!" víťazoslávne zvolal Bohuš. Vyštartoval do domu a vrátil sa na Cecilovi, domácom pštrosovi.

„ŠKREK!"

„Vari si len nemyslíš..." začala Bianka.

„Ale áno!" zvolal Bohuš. „Prvý pštrosí gramofón na svete! Nazvem ho... pštrosofón! Bude fungovať presne ako bežný gramofón, no namiesto ihly bude mať pštrosí zobák."

Obrovský vták zúrivo pokrútil hlavou.

„A najlepšie na tom je, že Cecil je z môjho nápadu úplne NADŠENÝ!"

„ŠŠŠKKKRRREEEK!" škriekal pštros. Zúfalo mával krátkymi krídlami a snažil sa odletieť. Bolo to však márne.

Onedlho sa urodzené dámy a páni z okolitých panstiev usadili na trávniku. Oblečení v slávnostných smokingoch a večerných róbach, elegantne uložení na dekách s fľašami šampanského a vrchovato naplnenými piknikovými košmi vyzerali oslňujúco.

Záhrada prekvitala vznešenými **trkvasmi.**

Komorník krivkal po trávniku s plechovým vedrom v ruke. Od každého trkvasa vyzbieral štyri libry. Onedlho bolo vedro plné. Zopár desiatok libier! Na záchranu Babrákovského panstva to, samozrejme, nestačilo, no na začiatok to bolo dosť. Ak sa dnešný večer vydarí, nabudúce by Bela mohla hrať pred tisícmi ľudí! A potom pred desať tisícmi! Desiatky tisíc ľudí znamenali tisíce libier. A tisíce libier boli presne to, čo Babrákovci tak zúfalo potrebovali. Desaťtisíc libier, aby sme boli presní.

Slnko zapadlo a oblohu zasypali hviezdy, ktoré sa jagali ako diamanty. Vo vzduchu sa vznášalo čosi čarovné. Mala to byť nezabudnuteľná noc.

Bohužiaľ, z úplne iného dôvodu, než Babrákovci čakali.

Terasa pripomínala javisko. Uprostred stál klavír a za ním stoličky pre hudobníkov. Podomácky vyrobené hudobné nástroje boli pripravené na stojanoch. Cecil postával pri xylofóne. Chýbali už len samotní Babrákovci. Nastúpení vo vnútri netrpezlivo čakali na svoj veľkolepý príchod.

Komorník sa došuchtal na pódium, aby ich uviedol.

„Vážené dámy a páni," začal. „Dovoľte mi privítať vás na historicky prvom koncerte klasickej hudby na Babrákovskom panstve. Je mi veľkou cťou predstaviť vám ORCHESTER RODINY BABRÁKOVCOV!"

Rodina vyšla na terasu vo svojom najlepšom oblečení – muži vo frakoch a bielych viazankách, ženy v plesových róbach. Usadili sa na miesta a publikum ich odmenilo vlažným potleskom.

Bela zasadla za klavír. Jej mama sa posadila k harfe. V tej chvíli by sa jej viac hodil dychový nástroj, pretože od nervozity nenápadne poprdkávala.

PRD! PRD! PRD!

Bohuš hral na husle.

Bonifác sa čineloch.

Komorník na tube.

A stará mama na xylofóne.

Trik spočíval v tom, že pod xylofónom bol ukrytý gramofón. Aby hral, musel sa ručne naťahovať. Pre starú mamu to nebol problém – bola silná ako býk.

„CECIL!" zasyčala.

„ŠKREK!"

„TICHO! Hlavu dole!"

Pštros sklonil hlavu, aby ho nebolo vidieť. Stará mama zahrala divadielko, že jej spadla pálka na kriket.

BUM!

„Ach, aká som nešikovná!" obrátila sa k publiku.

„Ospravedlňujem sa. Musím si zodvihnúť pálku. Chvíľu strpenia, prosím."

ŠKRÍP!

„ŠKREK!"

ŠKRÍP!

Záhradou sa niesli nádherné tóny Mozartovej hudby. Babrákovcom chvíľu trvalo uvedomiť si, že je to signál, aby začali hrať. Musia sa okamžite spamätať, inak sa prezradia! Bela otvárala a zatvárala ústa ako zlatá rybka. Orchester za jej chrbtom sa tváril, že hrá.

FUNGOVALO TO!

Stará mama pod xylofónom usilovne točila kľukou gramofónu, zatiaľ čo Cecil zobákom krúžil po dráž-kach platne.

ŠKRÍP!

PRÁSK!

Obecenstvo bolo unesené toľkou nádherou. Malá Bela musí byť geniálne dieťa, keď tak krásne spieva a hrá na klavíri. Dokonca iba na polovici klavíra!

Opera sa blížila k vrcholu a stará mama sa trochu nechala uniesť točením kľuky.

ŠKRÍP! ŠKRÍP! ŠKRÍP!

Ruka sa jej rozbehla ako o preteky. Točila čoraz rýchlejšie.

ŠKRÍP! ŠKRÍP! ŠKRÍP! ŠKRÍP! ŠKRÍP! ŠKRÍP! ŠKRÍP! ŠKRÍP! ŠKRÍP! ŠKRÍP!

Babrákovci s komorníkom sa snažili udržať jej tempo, no bolo to NEMOŽNÉ!

Belin „spev" sa zmenil na prenikavé škriekanie.

„SPOMAĽTE!" okríkol ju komorník.

No stará mama bola nezastaviteľná!

Točila kľukou gramofónu RÝCHLEJŠIE a RÝCH-
LEJŠIE, a RÝCHLEJŠIE!

ŠKRÍP! ŠKRÍP! ŠKRÍP! ŠKRÍP! ŠKRÍP! ŠKRÍP!
ŠKRÍP! ŠKRÍP! ŠKRÍP! ŠKRÍP! ŠKRÍP! ŠKRÍP!
ŠKRÍP! ŠKRÍP! ŠKRÍP! ŠKRÍP!

Točila tak rýchlo, že gramofónová platňa
odletela!

ŠŠŠUP!

Letela vzduchom a udrela
Belu zozadu do hlavy.

TRESK!

„OCH!"

Bela spadla zo stoličky a zrútila sa na klavír.

ŠLÁH!

Hudba však stále hrala.

TO BOL KONIEC PREDSTAVENIA.

BABRÁKOVCI SA PREZRADILI!

„MYSLÍTE SI, ŽE SME HLÚPI?" rozčuľoval sa starý major s monoklom, hustými fúzmi a hruďou posiatou medailami. Bol to major Manták z neďalekého Mantákovho dvora. Major bol muž činu. Schytil šišku plnenú šľahačkou a hodil ju, akoby to bol ručný granát.

„K ZEMI!" zvolala Bianka.

Šiška trafila Bohuša rovno do tváre.

MĽASK!

Onedlho sa k majorovi pridali všetci vznešení trkvasi na trávniku. Hlava-nehlava hádzali po Babrákovcoch jedlo z piknikových košov.

MĽASK!

PLESK!

ŠLÁH!

Onedlho boli Babrákovci, komorník i Cecil od hlavy po päty pokrytí šľahačkou, pudingom a citrónovým koláčom s bielkovou penou.

„BABRÁKOVCI SÚ OBYČAJNÍ PODVODNÍCI!"

Vznešení trkvasi sa rozčuľovali a kričali:

„TO JE PODFUK!“

„VRÁŤTE NÁM NAŠE PENIAZE!“

Major Manták vytrhol komorníkovi vedro s peniaz-
mi z rúk a nahnevane s ním odpochodoval.

ŠTRNG! ŠTRNG! ŠTRNG!

„OPUSTIŤ PANSTVO!“ vyštekol.

Trkvasi sa náhlili k nemu a strkali ruky do vedra,
aby si zobrali svoje peniaze.

Bela nazúrene dupla nohou.

„Zničili ste moju životnú šancu!“

„Navyše sme prišli o šancu zachrániť Babrákovské
panstvo,“ dodal Bohuš a zovrel dcéru v džemovo-kré-
movo-pudingovom objatí. Mama sa k nim pridala. Za
sebou ťahala vymysleného koňa.

„Ku mne, Pegas! Chúďatko, trafila ho zablúdená
piškótová torta!“

„Náš domov sa nám síce nepodarilo zachrániť,“ po-
vedal Bohuš, oblizujúc si bradu, „ale tento malinový
džem je vynikajúci!“

„Mmm!“ súhlasili ostatní členovia rodiny a ako na
povel si oblízali brady.

Vybuchujúce Pečené Fazule
A INÉ
POHROMY

Stalo sa ti už niekedy, že ti všetko jedlo z chladničky zjedol pštros?

Nie?

To som si myslel.

Také čosi sa mohlo stať len u Babrákovcov. Boli raňajky a komorník sa došuchtal do jedálne so strieborným podnosom v rukách.

„No konečne!" zvolala Bela.

„Zomieram od hladu!" pridal sa Bonifác.

„Pegas tiež," dodala Bianka a pobozkala vzduch. „Cmuk!"

Stará mama sa zaškľabila a obrátila sa k svojmu synovi.

„Ako vieš, ktorý koniec koňa bozkáva?" spýtala sa.

Bohuš sa uškrnul, zatiaľ čo jeho žena ďalej bozkávala vymysleného koňa.

„Cmuk! Cmuk! Cmuk!"

„Čo je na raňajky, komorník?" spýtal sa Bonifác.

Komorník položil podnos na stôl. Bol prázdny.

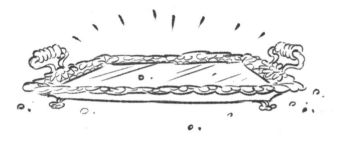

„Zdá sa mi, že si zabudol priniesť jedlo," poznamenal chlapec.

„Babrákovci," ozval sa komorník, „mám pre vás zlé správy. Počas..."

„PREPÁNAJÁNA, ČLOVEČE, VRAV! NEMÁME NA TO CELÝ DEŇ!" zahrmela stará mama.

„Keď som ráno vošiel do kuchyne, aby som vám pripravil raňajky, naskytol sa mi pohľad na... hroznú spúšť."

„Vari našu kuchyňu vyplienili Vikingovia?"

„Nie."

„NUDA!" zhúkol Bonifác.

„VOJNA S JEDLOM! Dostalo jedlo nakladačku?" spýtal sa Bohuš.

„Nie, pane. Tak vojna s jedlom nefunguje," odvetil komorník.

„Nie? Človek sa učí každý deň."

„Pegas je v tom nevinne!" vyhlásila Bianka. „Takej zlomyseľnosti by sa nikdy nedopustil."

„Máš pravdu, mami," súhlasil Bonifác. „Pretože neexistuje."

Bianka priložila obe ruky tam, kde mal mať kôň uši.

„Kontroluj sa, Bonifác! Pegas nie je hluchý."

Komorník sa unavene usmial.

„Nie, stopy jasne smerujú k páchateľovi."

„Pokračuj," vyzval ho Bohuš.

„Na kuchynskej dlážke boli pštrosie stopy."

Bohuš sa zamyslel. Takmer bolo počuť, ako mu pracujú závity.

„Kiežby tu bol Sherlock Holmes, aby nám pomohol rozlúsknuť tento záhadný prípad!"

„BOL TO CECIL!" vykríkla netrpezlivo Bela.

Keď pštros začul svoje meno, doknísal sa do jedálne.

Telo mal dvakrát väčšie než včera. Akoby to nestačilo, podišiel k Bohušovi a nahlas si odgrgol.

„GRRRRRRRRRG!"

Grg bolo taký dlhý, že ho počuť doteraz, zatiaľ čo ja o storočie neskôr píšem túto knihu.

„To bolo teda poriadne mäsité odgrgnutie," poznamenal Bohuš, poťahujúc nosom. „Je také husté, že by sa takmer dalo krájať."

„BABRÁKOVCI PREDSA NEMÔ-ŽU ŽIŤ Z GRGOV, NECH SÚ AKÉ-KOĽVEK MÄSITÉ!" zhúkla stará mama. „V DOME MUSELO ZOSTAŤ NEJAKÉ JEDLO!"

„Nuž," ozval sa komorník, „bola tam jedna vec, ktorú Cecil nevedel otvoriť. Konzer-va. Ešte stále je v špaj..."

Kým stihol dopovedať „zy", Babrákovci odsunuli stoličky a vrútili sa do kuchy-ne. Bonifác vysadol Cecilovi na chrbát...

„ŠKREK!"

... takže tam dorazil ako prvý.

„TO NIE JE FÉR!" zvolala Bela a naštvane dupla nohou.

„HA! HA!"

No keď Cecil natiahol svoj dlhý krk poza chlapcov chrbát a ďobol ho do zadku...

ĎOB!

„AU!"

... posledná sa smiala Bela.

„CHI! CHI! CHI!"

Kuchynskú dlážku pokrývali otvorené kartónové škatule a papierové vrecká roztrhané na cimpr-campr. Dvere do špajzy boli dokorán. Police zívali prázdnotou. Osamelá hrdzavá plechovka bez etikety ležala na najvyššej polici.

„Čo je v tej plechovke?" spýtala sa Bianka.

„Myslím, že... jedlo," odvetil Bohuš.

„Aký si len múdry, miláčik! Ale aké jedlo?"

„Bochník chleba?"

„Nebuď hlúpy, tatulienko!" zvolala Bela. „Som si istá, že je tam banán."

„Stavím sa s vami, že je tam celé pečené prasa," pridala sa stará mama.

„Poďme to zistiť," navrhla Bianka. „Komorník? Ako sa otvára konzerva?"

„Otváračom na konzervy, madam."

„O niečom takom som jakživ nepočula! Máme na Babrákovskom panstve nejaký *konzerváč na otvory?*"

„Samozrejme. Hneď vám ho prinesiem."

Komorník sa dovliekol k zásuvke. Na vkus starej mamy bol však príliš pomalý.

„Zomieram od hladu! Jednoducho tú konzervu pekne-krásne rozstrieľam!"

Stará mama schmatla plechovku z hornej police a odpochodovala s ňou do jedálne. Zvyšok rodiny sa rozbehol za ňou.

„LEN NEVYVEĎ ŽIADNU HLÚPOSŤ, STARÁ MAMA!"

„KOMORNÍK DO HODINY URČITE PRINESIE OTVÁRAČ NA KONZERVY!"

„PROSÍM, NEUBLIŽUJ TEJ KONZERVE!"

Stará mama ani okom nemihla. Vyhodila konzervu do vzduchu, zamierila a VYPÁLILA!

Konzerva explodovala.

BUMBÁC!

Kúsky pečenej fazule sa rozprskli po celej jedálni.

ŠPLECH!

Zašpinili steny. Okná. Strop. Luster. Komorníka.

Pštrosa. Babrákovcov.

„FUJ!
TAKÁ POTUPA!"
zvolala znechutene Bela,
zatiaľ čo si z vlasov vyberala
kusy fazule.

Bonifác medzitým oblizoval fazuľovú omáčku zo steny.

„MĽASK!"

„Úbohý Pegas!" vykríkla Bianka. „Si celý od fazule! Budem ťa musieť vykúpať."

„Stará mama, postrieľala si všetky pečené fazule," sťažovala sa Bela.

„Blbosť!" vyštekla stará mama. „Komorník! Nájdi fazule, čo prežili!"

Komorník zdvihol jedno obočie.

„Posnažím sa, madam."

„A POHNI SI, ČLOVEČE! Babrákovci sú vyhladovaní! Raňajky sú najdôležitejšie jedlo dňa. Hneď po obede a večeri. A, samozrejme, po desiate a olovrante."

„Hneď to bude, madam!"

Deväťdesiatdeväťročný muž sa zohol, akoby sa chystal skočiť rybičku, a pustil sa prehľadávať podlahu.

Zvedavý Cecil ďobal do koberca.

„ŠKREK!"

„ŠIC!" okríkol ho komorník.

Vták ho odmenil ďobnutím do zadku.

ĎOB!

„AU!"

„ZLÝ VTÁK!"

zahrmela stará mama.

Cecil sa ťarbavo pobral hľadať zadok, do ktorého by ďobol.

„BINGO!" zvolal komorník. „PO-ZRITE! ÚPLNE NEPORUŠENÁ FAZUĽA!"

„Dobrá práca!" pochválila ho stará mama a hodila na vnučku víťazoslávny pohľad.

„Podeľme sa o ňu," navrhol Bohuš.

Komorník dvihol i druhé obočie a odšuchtal sa k príborníku. Vytiahol dosku na krájanie a ostrý nôž. Rozkrájal fazuľu na päť častí a každý kúsok naservíroval zvlášť na porcelánový tanier.

Potom položil otlčené taniere na jedálenský stôl. Babrákovci chytili do rúk príbor. Každý zjedol svoj kúsok fazule.

„Lahodné!"

„Také... fazuľové!"

„Dokonale vyvážená chuť!"

„Odporné!"

„Najlepšia pätina fazule, akú som kedy jedol!"

Na chvíľu zavládlo ticho. Potom sa ozval Bohuš:

„Stále som hladný."

„Môžeme zjesť komorníka," ozvala sa stará mama.

„Bol by som radšej, keby ste si nechali zájsť chuť,"
ohradil sa komorník.

„Aj ty by si mohol ochutnať kúsok seba."

„BABRÁKOVCI! Mám genialistický nápad!"
zvolala Bianka.

Rodina sa dychtivo zhŕkla okolo nej.

„Tak nič, zabudla som ho."

„Áááááááách!"

„Ja viem!" vyhŕkla Bela. „Jednoducho si kúpime jedlo."

Babrákovci nadšene prikyvovali.

„Žiaľ, to nie je možné," prerušil ich Bohuš. „Mrzí
ma to, no v pokladničke nám už nezostala ani penca.
Navyše dlhujeme desaťtisíc libier."

Rodina bola zdrvená.

„Nezabúdajte, že Babrákovské panstvo je plné sta-
rožitností," ozval sa komorník.

„Tie sa nedajú jesť," odvetil Bohuš.

„To je síce pravda, vaše lordstvo, no mohli by ste ich predať."

„Pokračuj..."

„Za peniaze z predaja by ste si mohli kúpiť jedlo, no čo je ešte dôležitejšie, aj..."

„... škrečka?" tipoval Bohuš.

„NIE!" zvolali ostatní. „ZACHRÁNIŤ BAB-RÁKOVSKÉ PANSTVO!"

„Aha."

„Máme šťastie," pokračoval komorník, „pretože dnes som v novinách čítal o nechutne bohatom Američanovi. Volá sa Pítr „Búchačka" Pracháč.

„Určite to bude milý chlapík," pípla Bianka.

„Pán Pracháč vykupuje starožitnosti z anglických vidieckych domov, aby si mohol zariadiť svoj luxusný byt v New Yorku. Možno ho zlákajú čriepky babrákovskej histórie!"

„To by NADOBRO vyriešilo naše problémy!" zvolal nadšene Bohuš.

„Ako tohto Pracháča nájdeme?" spýtala sa stará mama.

„Poznám slúžku na Mantákovom dvore. Povedala, že pán Pracháč práve kúpil všetky starožitnosti v dome, vrátane majora Mantáka, ktorý driemal v kresle. Mohol by som jej zatelefonovať a poprosiť ju, aby ho k nám poslala."

„JUPÍ!" zvýskol Bohuš. „Ihneď jej zavolaj! BEŽ, ČLOVEČE, BEŽ!"

Komorník sa pohol z obývačky pomalšie než slimák.

„Mantákov dvor je v porovnaní s Babrákovským panstvom plný rárohov," poznamenal Bohuš. „Už len tento luster musí mať hodnotu TRILIÓN libier! Je vyrobený z najkvalitnejšieho brúseného skla. POZRITE SA!"

Bohuš sa vydriapal na jedálenský stôl a rukami prešiel po brúsenom skle.

CINK! CINK! CINK!

„Ak ho predáme Pracháčovi, muž z banky bude mať po chlebe!"

„HURÁ!"

Bohušova plamenná reč sa blížila k záveru. Vtom sa pošmykol na fazuľovej omáčke.

„HUPS!"

Blížila sa ďalšia KATASTROFA!

III

Bohuš sa chytil lustra, aby nespadol.

CINGILINGI!

Bláznivo sa hojdal z jednej strany na druhú.

„TATULIENKO!" skríkli Bela s Bonifácom.

„BOHUŠ!" skríkla Bianka.

„LORD BABRÁK!" skríkol komorník.

„ŠKREK!" zaškriekal Cecil.

„BOHUMIL BABRÁK!" skríkla jeho matka. „VYDRŽ, HNEĎ ŤA ZOSTRELÍM!"

Zdvihla mušketu a zamierila na syna.

„MAMULIENKA! NIÉÉÉÉ!" kričal Bohuš zúfalo.

Hojdal sa čoraz rýchlejšie. Tak rýchlo, že vytrhol luster zo steny.

ŠKLB!

Bohuš vyletel do vzduchu. Z hlasným ŽUCH pristál na jedálenskom stole. Rýchlo sa pozrel hore. Rútil sa naňho obrovský luster.

„UÁÁÁ!" zreval.

Len tak-tak stihol uskočiť. Luster sa s rinčaním zrútil na miesto, kde ešte pred chvíľou ležal.

RACH!

Vzácne brúsené sklo sa rozletelo na milión kúskov.

CINK! KRINK! RINK! DINK!

Stôl sa zlomil na polovicu.

PUK!

Každá polovica sa začala nakláňať na opačnú stranu.

BÁCH!

Rodina s hrôzou sledovala, ako sa Bohuš snaží udržať na nohách, aby nespadol do pukliny. Jedna noha smerovala doľava a druhá doprava.

„NIÉÉÉ!"

Jeho nohy sa čoraz viac rozchádzali. Nohavice to nevydržali a rozpárali sa.

PUUUUUK!

Roztrhli sa tak rýchlo, že odleteli...

FÍÍÍÍ!

... a pristáli jeho matke na hlave.

„DAJTE ZO MŇA TIE SMRAD-ĽAVÉ GATE DOLE!" zrevala. „NIČ NEVIDÍM!"

„POMOC!" kričal Bohuš. Okrem toho, že na sebe nemal nohavice, bol uväznený v bolestivej pozícii. Predviedol dokonalý rozštep. Až na to, že ho nikdy predtým nerobil.

Vtom k nemu prikročil Cecil. Všimol si zadok, ktorý ho prosil o ďobnutie. Pštros sa nedal dvakrát núkať.

ĎOB!

„ÁÁÁÁÚÚÚÚÚ!" zavýjal Bohuš.

Šok vystrelil úbohého muža do vzduchu...

VUŠŠŠ!

... a napokon pristál na svojej matke.

PLESK!

Bohuš ležal na pleciach starej mamy.

„KTO JE TO?" spýtala sa. Na hlave mala ešte stále synove nohavice.

„TO SOM JA!"

„KTO JA?"

„TVOJ SYN."

„UŽ LEN TO MI CHÝBALO!"

Zdalo sa, že dvojica predvádza akrobatické číslo. Predstav si dvoch akrobatov, čo nemajú ani páru o akrobacii. Presne tak vyzerali. Stará mama sa tackala sem a tam, zatiaľ čo Bohuš sa jej zvíjal na pleciach.

„POMOC!" zaúpel.

Ostatní Babrákovci spolu s Cecilom zúfalo pobehovali okolo nich. S vystretými rukami (alebo krídlami) sa k nim približovali, aby ich od seba odtrhli.

Žiaľ, nepodarilo sa.

Bohuš a Bonifác sa zrazili hlavami.

BUC!

Bonifác spadol na Cecila. Cecil spadol na Belu. Bela spadla na Bianku.

„ACH!"

Nik nedokázal po-môcť starej mame, ktorá sa zrútila na príborník.

TRESK!

Porcelánový servis vyletel do vzduchu...

ŠUP! ŠUP! ŠUP!

... a s rachotom popadal na zem.

BACH! RACH! PLESK!

Misa na omáčku pri páde zhodila ob-
raz zo steny.

BUMBÁC!

Obraz odletel a popri tom vrazil do ďalšieho
obrazu.

BAM!

Ten vrazil do iného obrazu...

BAM!

... a ten do ďalšieho...

BAM!

... a ten do ďalšieho.

BAM!

Obrazy padali jeden za druhým ako domino. Babrá-
kovci s komorníkom sa ich snažili zachrániť, no bolo to
márne. Onedlho skončili všetky vzácne maľby na zemi.

ŠVÁC! ŠVÁC! ŠVÁC!

Jeden z nich treskol Bonifácovi rovno na hlavu.

DING!

Bela sa rozrehotala.

„CHA! CHA! CHA!" Smiech ju prešiel v momente, keď jej na nohu dopadol ďalší obraz.

PRÁSK!

„AUVAJS!"

Bela si zvierala chodilo a poskakovala po dome, akoby tancovala po žeravých uhlíkoch.

Z jedálne doskackala do vstupnej haly.

HOP! HOP! HOP!

Narážala do stolíkov, na ktorých stáli starožitné vázy a porcelánové sošky.

DRG!

Veci vyletovali do vzduchu a narážali do steny. Sklo a porcelán sa rozsypali na zem.

TRESKYPLESK!

Onedlho boli všetky drahocenné veci na prízemí zničené. Hotová PREHLIADKA POHRÔM!

Na rade bolo horné poschodie.

Keď Babrákovci vybehli z jedálne, Cecil osamel. Na hodvábnych závesoch objavil poriadny kusisko pečenej fazule a v sekunde ho zhltol.

„ŠKREK!"

V bruchu mu začalo nahlas bublať.

BLUBLUBLU!

Pečená fazuľa v kombinácii s kopou jedla, čo do seba v noci nahádzal, mu v žalúdku spôsobili poriadnu búrku.

PREHÁNKU!

Cecil si dunivo PRDOL.

PRRRRRRRRRRD!

Prd bol taký silný, že
z Cecila spravil prvého lietajúceho pštrosa na svete.

VZZZUM!

Obletel jedáleň a zamieril hore schodmi.

VUŠŠŠŠŠ!

Úbohý pštros sa ako ob-
rovská operená gumová
loptička odrážal od
stien...

PING!

PENG!

PONG!

... a demoloval nábytok, obrazy
a starožitné haraburdy.

TRESK!

ŠVÁC!

BUCH!

„Všetko je zničené! ZNIČENÉ!" nariekal Bohuš.

„VŠETKO NIE!" vyhlásila stará mama. Vzala do rúk mušketu, namierila na porcelánovú figúrku, čo nejakým zázrakom prežila skazu, a vystrelila.

BENG!

„Tak, a teraz je to už všetko!"

„Ďakujem, mamulienka," hlcsol Bohuš.

Komorník sa došuchtal do vstupnej haly.

„Mám skvelé správy! Práve som dotelefonoval so slúžkou. Pán Pítr „Búchačka" Pracháč sa zajtra ráno pred svojím návratom do Ameriky zastaví na Babrákovskom panstve."

V tej chvíli si všimol skazu okolo seba.

„Och. Radšej mu zavolám, aby sa neunúval."

„NIE!" odvetila Bianka. „Ak rád skladá puzzle, môže stráviť zvyšok života lepením črepín."

„Ešte máme jednu starožitnosť, ktorú by sme mohli predať," znenazdajky sa ozval Bonifác.

„Naozaj?" spýtala sa stará mama.

„Áno. TEBA!"

Kým sa chlapec stihol spamätať, stará mama ho schmatla za členky a obrátila hore nohami.

„Prepáč, stará mamulienka! Nemyslel som to tak, že ty si starožitnosť."

„AKO SI TO TEDA MYSLEL?"

„Ja... ech... no..."

„TAK VRAV, CHLAPČE!"

„No, vlastne som to myslel tak, že by si mohla predstierať, že si starožitnosť."

„ČO?"

„A ja tiež! Všetci Babrákovci by sa mohli tváriť ako starožitnosti. Ak sa nám toho amerického boháča podarí oklamať, tak si nás kúpi!"

Babrákovci prikyvovali. Bol to šialený plán. Taký šialený, že by mohol fungovať!

Nanešťastie si nik nevšimol jednu zásadnú chybu.

„Asi by sme si to celé mali premyslieť," ozval sa komorník. Čosi sa mu na tom pláne nepozdávalo, no za živý svet nevedel prísť na to, čo to je.

„NEMÁME ČAS!" zahrmela stará mama. „MUSÍME OBLAFNÚŤ TOHO NECHUTNE BOHATÉHO AMERIČANA! BABRÁKOVCI, DO PRÁCE!"

„HURÁ!"

Babrákovci premenili svoj plán na skutočnosť...

Nasledujúce ráno Bonifác obalil svoju sestru od hlavy po päty do alobalu, aby vyzerala ako starodávne brnenie. Bela sa mu chcela pomstiť, a tak mu napchala hlavu do rámu na obraz. Mal sa tváriť, že je *Mona Líza*. Aby bola ilúzia dokonalá, nacapkala naňho mejkap a na hlavu mu dala parochňu zo špinavého mopu.

Stará mama sa rozhodla, že bude kamenná socha. Usúdila, že táto rola sa hodí k titulu hlavy rodiny. Vyliala na seba tekuté lepidlo a oblepila sa kúskami starých novín. Bol to výborný nápad do chvíle, keď papier zaschol a stará mama nevedela ani brvou pohnúť.

Bohuš si bol istý, že jeho najnovší vynález, ĽUDSKÉ KUKUČKOVÉ HODINY, bude trhák.

„Načo sa zbytočne trápiť so súčiastkami v hodinách, keď vo vnútri môže byť živý človek?"

Bohuš si k telu priviazal kusy polámaného nábytku. Na hlave si nechal malé okienko. Na ruku si natiahol rukavicu, aby vyzerala ako maňuška. Vždy o celej hodine vystrčil ruku z okienka a zakukal. „KUKUK! KUKUK!"

Jediný skutočný vták v rodine, Cecil, sa natiahol na dlážke a predstieral, že je koberec zo pštrosa.

Bianka dostala čudesný nápad. Rozhodla sa prestrojiť za luster. Navešala na seba všetky strieborné vianočné ozdoby, ktoré doma našla, a zavesila sa na strop. Zdalo sa, že tento nápad je ODSÚDENÝ na neúspech.

NA VIAC PRÍPRAV NEBOL ČAS. PÁN PÍTR „BÚCHAČKA" PRACHÁČ MAL KAŽDÚ CHVÍĽU PRÍSŤ!

Komorník mal za úlohu privítať vzácnu návštevu z Ameriky na Babrákovskom panstve. A potom sa mal pokúsiť o nemožné: presvedčiť Pracháča, aby si kúpil starožitnosti „nevyčísliteľnej hodnoty".

Ich hodnota sa skutočne nedala vyčísliť, pretože by za ne nikto nedal ani deravý groš.

Onedlho sa z oblohy ozval zvuk motorov.

VRRRMMM!

Komorník dokrivkal k oknu zababranému od fazuľovej omáčky. Pozoroval obrovské lietadlo, čo práve pristávalo na trávniku.

„Ten človek sa musí topiť v peniazoch," zamrmlal si popod fúzy, keď sa z lietadla vygúľal neveľký okrúhly muž.

Pítr „Búchačka" Pracháč pripomínal gangstra z filmu.

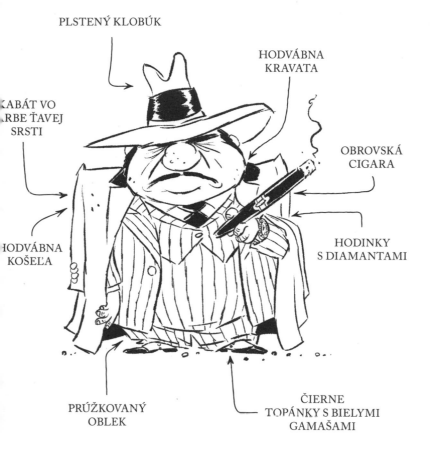

PLSTENÝ KLOBÚK

HODVÁBNA KRAVATA

KABÁT VO FARBE ŤAVEJ SRSTI

OBROVSKÁ CIGARA

HODVÁBNA KOŠEĽA

HODINKY S DIAMANTAMI

PRÚŽKOVANÝ OBLEK

ČIERNE TOPÁNKY S BIELYMI GAMAŠAMI

O tom, že Pracháč nie je žiadny anjelik, svedčili traja ochrankári, ktorí ho obklopovali. Ver mi, nepáčilo by sa ti stretnúť ich v tmavej uličke.

Ochrankári vyzerali tak hrozivo, že komorník ne-

váhal ani sekundu a pre istotu sa odšuchtal do špajzy.

No kým tam prišiel, ozvalo sa búchanie na dvere.

KLOP! KLOP! KLOP!

A znova.

KLOP! KLOP! KLOP!

A znova.

KLOP! KLOP! KLOP!

Komorník od strachu zamrzol.

„OTVORTE NÁM DVERE, INAK ICH VY-STRELÍME Z PÁNTOV!" ozval sa hlas zvonka.

Staručký komorník sa zhlboka nadýchol, doširoka sa usmial a otvoril dvere.

„Deň dobrý," hlesol ticho s jazykom zdreveneným od strachu.

„KTO JE TÁTO VYKOPÁVKA?" vyštekol malý tučný muž.

Ochrankári sa od srdca zasmiali.

„HA! HA! HA!"

„Som komorník Komorník a tiež vám prajem dobrý deň," odvetil komorník s dávkou britského sarkazmu.

„Snažíš sa byť vtipný?" ozval sa Pracháč, zdrapil komorníka za sako a zodvihol ho do vzduchu.

„Nie! Nie!“

Pracháč ho pustil a spolu so svojimi gorilami sa popri ňom pretlačil do domu.

„Aká diera!“ poznamenal Pracháč.

„HA! HA! HA!“ zasmiali sa ochrankári.

„Pracme sa z tejto barabizne, kým sa nerozpadne,“ zavelil Pracháč a otočil sa k dverám.

„Počkajte, prosím vás, pane,“ zastavil ho komorník.

„ČO CHCEŠ?“

„Rád by som vám ukázal zopár výnimočných starožitností. Nikde inde na svete také nenájdete.“

„Dúfam, že nás neklameš, inak uvidíš!“

Komorník viedol hostí cez tanečnú sálu, kde boli vystavení Babrákovci. Zmrznutí v strnulých pózach zo všetkých síl predstierali, že sú starožitnosti.

„ČO DO..." habkal Pracháč.

„Ak dovolíte, pane, hneď vám to vysvetlím. Toto rytierske brnenie má obrovskú cenu. Pochádza zo stredoveku."

Bela sa zo všetkých síl snažila nešušťať alobalom, ale svrbel ju zadok. Nevydržala to a poškrabala sa.

ŠUCH!

„Zdá sa mi to, alebo sa tá vec práve pohla?" spýtal sa podozrievavo Pracháč.

„Nie!"

ŠUCH!

„A znova!"

„Určite sa nepohla!"

ŠUCH!

Pracháč sa naklonil ku komorníkovi, až sa dotýkali nosmi.

„Varujem ťa! Ak si zo mňa naďalej budeš robiť tieto primitívne žarty..." zavrčal hrozivo.

ŠUCH!

„STRAŠÍ V ŇOM!"

„ČO?"

„V tom brnení straší!"

„Kto v ňom straší?"

„Skutočný človek... ehm, chcem povedať skutočný duch. Prvý lord Babrák, ktorý zomrel v boji."

„Ako zomrel?"

„Nevedel si vyzliecť brnenie. V tom čase ešte neexistovali otvárače na konzervy."

ŠUCH!

„Skutočný duch! Ten by sa mi veru hodil na strašenie policajtov! HA! HA!" zachechtal sa Pracháč.

Ochrankári sa tiež zachechtali. Museli. Šéf ich platil za to, aby sa tvárili, že je vtipný.

„HA! HA! HA!"

„Kúpim ho."

„Výborná investícia, pane," odvetil komorník a viedol gangstra preč od Bely. „Túto maľbu vám nemusím predstavovať. Nech sa páči... *Mona Líza.* "

Bonifác nahodil svoj najzáhadnejší úsmev.

„O tejto ženskej som v živote nepočul!" odfrkol si Pracháč.

„Je fakt slávna, šéfe!" potvrdil najbystrejší ochrankár. „Namaľoval ju Leonardo da Vinci."

„Pýtal som sa ťa niečo?"

„Prepáčte, šéfe."

Pracháč si zhlboka potiahol z cigary a vyfúkol oblak dymu. Dym pošteklil Bonifáca v nose. Chlapec si kýchol.

„HAPČÍ!"

Pracháčovi pristál na tvári sopeľ.

„Čo do...“

„Nič si z toho nerobte, pane. *Mona Líza* je známa tým, že je neuveriteľne realistická. Jej oči a sopeľ vás prenasledujú, kamkoľvek sa pohnete.“

„Koľko stojí?“

„Koľko máte?“

„Tento chlap sa mi začína páčiť!“ vykríkol Pracháč a žartovne poplieskal komorníka po lícach.

PLESK! PLESK! PLESK!

„Ďakuje vám, pane. Poďme rýchlo ďalej. Dovoľte mi predstaviť vám najkrajšiu kamennú sochu na Babrákovskom panstve.“

„Čo to má byť? Hroch?“

„VRRR!“ zavrčala stará mama spod papierového panciera.

„Počuli ste ten zvuk?“

Komorník si musel rýchlo niečo vymyslieť.

„Obávam sa, že jeden z vašich ochrankárov si prdol, pane."

Pracháč nevraživo zagánil na svoje gorily. Potom sa obrátil späť k soche.

„Kam by som dal taký obrovský kus šutra?" spýtal sa.

„VRRR!" zavrčala stará mama.

„Znelo to ako zavrčanie!"

„Iste viete, že prdy môžu mať rôzne podoby, pane. A myslím si, že táto nádherná socha by sa vynímala v akejkoľvek záhrade."

„Žijem na stom poschodí. Nemám záhradu."

„Ach tak. V tom prípade vám socha určite poslúži na rozmliaždenie vašich nepriateľov."

„Ha! Ha! Komorník, ty starý lišiak! Za taký nápad by sa nehanbil ani Al Capone!"

„HA! HA!" zasmiali sa poslušne ochrankári.

„Kúpim ju!"

„VRRR!"

„Zaujíma vás z času na čas, koľko je hodín, pane?" spýtal sa komorník, zatiaľ čo Pracháča viedol k ďalšej starožitnosti.

„Áno, ale na to mám túto vecičku," odvetil Pracháč a strčil komorníkovi pod nos svoje hodinky vykladané diamantami.

„Mám pre vás čosi oveľa lepšie než obyčajné náramkové hodinky," povedal komorník a ukázal Pracháčovi Bohušov úbohý pokus o kukučkové hodiny.

„Čo je to, dočerta, za odpad?" spýtal sa Pracháč.

„Kukučkové hodiny, pane."

„Čo robia?"

„Každú celú hodinu urobia KUKUK."

Muž vrhol pohľad na svoje hodinky.

„O pár minút bude päť hodín."

„V tom prípade onedlho zakukajú."

Jeden z Pracháčových strážcov sa nahol bližšie, aby hodiny preskúmal. Zvnútra sa ozývalo chrápanie.

„CHŔŔŔ! CHŔŔŔ! CHŔŔŔ!"

„Čo to je?" zisťoval Pracháč.

„CHŔŔŔ! CHŔŔŔ! CHŔŔŔ!"

„Och! Iba mechanizmus vo vnútri hodín, pane."

„CHŔŔŔŔ! CHŔŔŔŔ! CHŔŔŔŔ!"

„Ak tvrdíš, že fungujú, prečo nekukajú?"

„Zrejme zaspali, pane."

Komorník zo všetkých síl buchol pästou do hodín.

TRESK!

Zvuk zobudil Bohuša, ktorý pohotovo spravil **KUKUK** a vystrelil ruku z okienka. Keďže nevidel, čo robí, udrel jedného z ochrankárov rovno do nosa.

BUCH!

„AU!"

Pracháč sa prehýbal od smiechu.

„HA! HA! To sa mi páči!"

„Myslel som si, pane," odvetil komorník a pohol sa ďalej. „Pozrite sa na tento koberec z pštrosa. Je jediný svojho druhu!"

Pracháč sa naň išiel už-už postaviť.

„Na vašom mieste by som to nerobil, pane."

„Prečo?"

„Nuž, mohol by zaškriekať."

To ho len viac navnadilo. Položil nohu na pštrosa.

„ŠKREK!"

„Varoval som vás, pane." „ŠKRIEKAJÚCI KOBEREC! PERFEKTNÝ NA PÁRTY!" potešil sa Pracháč a hneď na ňom predviedol krátky tanec.

„ŠKREK! ŠKREK! ŠKREK! ŠKREK! ŠKREK! ŠKREK! ŠKREK!"

V momente, keď Cecil zdvihol hlavu, aby Pracháča ďobol do zadku, komorník ho chytil za lakeť a rýchlo ho vliekol ďalej.

„Rýchlo sa poďte pozrieť na luster! Je pýchou celého panstva. Tadiaľto, prosím."

Keď vošli do obývačky, naskytol sa im čudesný pohľad.

Zo stropu visela Bianka, od hlavy po päty oblepená vianočnými guľami.

„CINGI! LINGI! LING!" cinkal luster pri každom pohybe.

„Zdá sa mi to, alebo zospodku trčí noha?" spýtal sa Pracháč.

„Och! Je to skutočne tak, pane," odvetil komorník a smrteľne zbledol.

„Čo tam robí?"

„Ehm, no..."

„VRAV!" zrúkol.

Komorník sa nervózne ošíval.

„Povedal som vám, že ten luster je jediný svojho druhu. Nikde inde na svete taký nenájdete! Máte v Amerike lustre, z ktorých trčia nohy?"

„Nie."

„Tak vidíte. Vaši známi v New Yorku ozelenejú od závisti."

Pracháčovi sa pri tej predstave rozžiarila tvár.

„Beriem ho! Beriem všetko! Chlapci, dajte tomu starému dinosaurovi prachy!"

Komorník sa spokojne usmial, keď ochrankár otvoril kufrík plný peňazí. Muselo tam byť aspoň milión dolárov! Ochrankár mu podal hrubý zväzok stodolárových bankoviek.

Určite postačia na záchranu Babrákovského panstva. Dokonca aj na ďalšiu konzervu pečených fazúľ. A na toho škrečka.

„Teraz všetko naložte do lietadla."

Komorník sa od strachu rozklepal. Toto bola tá zásadná chyba v pláne, na ktorú nik nepomyslel!

Babrákovské panstvo sa síce podarí zachrániť, no ne-
budú v ňom žiadni Babrákovci! Namiesto toho strávia
zvyšok života v strnulých pózach v gangsterskom byte
na stom poschodí v New Yorku!

Pracháč odpochodoval z obývačky do vstupnej ha-
ly. Komorník sa vliekol za ním.

„Sto... sto... stojte!" s námahou dychčal komorník.

„Čo zas?" vyštekol Pracháč.

„Nemôžem vám tie veci radšej poslať?"

Pracháč hľadel na starého muža, akoby mu úplne
preskočilo.

„Poslať?"

„Áno! Mám kopu známok! Hneď zajtra ráno vám
všetky starožitnosti pošlem do Ameriky. Samozrejme,
len ak sa zmestia do schránky."

Pracháč zavetril podfuk. Zhlboka si potiahol
z cigary a vyfúkol na komorníka hustý oblak dymu.

Starec začal kašľať a prskať.

„Dobrý pokus, mudrlant," zavrčal Pracháč a obrátil sa k svojim gorilám. „Naložte všetko do lietadla. Ihneď!"

Komorník s hrôzou sledoval, ako si ochrankári vyložili na plecia „starožitnosti" a odpochodovali k lietadlu.

„STOJTE!" zakričal zúfalo, no nikto ho nepočúval.

Keď okolo neho prechádzal Cecil, zobákom mu uchmatol z ruky balík peňazí.

„ŠKREK!"

„Dobrá práca, Cecil!" zašepkal Bohuš z kukučkových hodín. „Zajtra ráno dáme peniaze mužovi z banky."

„Počkajte..." zvolal komorník.

No kým to stihol dopovedať, Babrákovci boli fuč. Komorník sa došuchtal späť do jedálne. Nakukol cez okno zamazané od fazuľovej omáčky. Rodinu práve nakladali do lietadla.

„Je mi to tak ľúto, Babrákovci," zamrmlal a v očiach sa mu objavili slzy. „Budete mi chýbať."

Keď lietadlo vzlietlo, zodvihol ruku a smutne zamával na rozlúčku. Obrovský stroj už-už mizol v oblakoch, keď z neho jedna za druhou začali vypadávať „starožitnosti".

„NIE!" zreval komorník.

Jeho obavy sa rozplynuli, keď sa na oblohe roztvorilo päť padákov.

ŠUPS!

Babrákovci sa vyslobodili!

Ukázalo sa, že nie sú úplne hlúpi.

Pätica bezpečne pristála na zemi. Komorník sa dovliekol do záhrady, aby ich privítal. Kukučkové hodiny sa pri dopade na zem rozpadli. Bohuš bol slobodný. Papierový pancier pukol a uvoľnil starú mamu zo zovretia. Z Bianky odpadli vianočné gule a rozkotúľali sa na všetky strany. Bonifác sa vyvliekol z rámu. Alobal sa rozmotal a odhalil usmiatu Belu.

„Vďakabohu, že ste našli padáky!" zvolal komorník. „Ale kde je Cecil?"

Všetky oči sa obrátili k oblohe.

„TAM JE!" skríkol Bonifác.

Cecil nemal padák. Ponuka padákov pre vtáky je veľmi obmedzená. Dokonca i pre pštrosy. Zúfalo mával krídlami, no ani zamak to nepomohlo. Obrovskou rýchlosťou sa rútil k zemi.

Cecil zaškriekal o pomoc:

„ŠKREK!"

Vo chvíli, keď otvoril zobák, vyletel mu z neho zväzok stodolárových bankoviek. Bankovky sa zatrepotali vo vetre a odleteli nevedno kam.

„NIÉÉÉÉÉ!" zreval Bohuš.

Cecil sa rútil nadol rýchlosťou svetla.

V U Š Š Š!

„ŠKREK!"

Babrákovci pobehovali po trávniku, aby ho chytili. Pripomínali hráčov kriketu. Rozdiel bol v tom, že nechytali kriketovú loptičku, ale dospelého pštrosa. Bohuš sa s natiahnutými rukami rozbehol vpred.

„MÁM HO!" kričal.

Pri pohľade na obrovského pštrosa rútiaceho sa naňho však zapochyboval, či to bol dobrý nápad.

„Ufff," zaúpel, keď na ňom pristál Cecil. Potom stratil vedomie.

BIM!

Zvalil sa dopredu a s hlasným *ŽUCH* pristál na trávniku.

Cecil bol živý a zdravý. Zatrepotal krídlami a vyskočil na nohy.

„ŠKREK!"

S Bohušom to vyzeralo biedne. Babrákovci s komorníkom sa ponáhľali k nemu.

„LORD BABRÁK!"

„DRAHÝ!"

„TATULIENKO!"

„BOHUMIL!"

„Len nevravte, že je po ňom!" vzlykala Bianka.

Cecil k nemu natiahol krk a štuchol ho hlavou do chrbta. Žiadna reakcia.

„Je mŕtvy!" zavýjala Bela. „TATATATATATATU-LIENKO!"

Vtom dostal Cecil lepší nápad. Ďobol ho do zadku.

ĎOB!

„AUUUUVAJSSSSS!" zreval Bohuš.

Bol nažive! Vyškriabal sa na nohy a pritom si zvieral zadok.

ĎOB! ĎOB! ĎOB!

„Si hrdina, drahý! Zachránil si Cecila," vyhlásila Bianka a objala ho.

„Naozaj?"

„V podstate áno. Ako ti je?"

„Nikto mi nič neje."

„Nie, myslím tým, ako sa cítiš?"

„Nosom, ako vždy."

„Si v poriadku?"

„Nevyzerá to tak," zamrmlali ostatní.

„Nechcem byť poslom zlých správ, ale minul sa nám čaj," prerušil ich komorník. „Ak chcete, môžem urobiť čaj s fazuľovou príchuťou."

„Ako?" čudoval sa Bohuš.

„Z fazuľovej šťavy, čo nám steká po oknách."

„TO ZNIE LAHODNE!" potešil sa Bohuš a Babrákovci sa spoločne pobrali domov.

SMRTIACE HADY
A
REBRÍKY

I

Nad Babrákovským panstvom zúrila hrozná búrka.

DUNELI HROMY.

UDIERALI BLESKY.

LIALO AKO Z KRHLY.

Strašná hrmavica uväznila Babrákovcov v dome. Komorník dostal za úlohu zbierať dažďovú vodu, čo sa valila cez deravú strechu. V obývačke to vyzeralo ako na výstave kuchynského riadu. Dlážka bola pokrytá panvicami, hrncami a misami.

ČĽAP! ČĽUP! ČĽOP!

Voda kvapkala do nádob.

Babrákovci museli pomedzi ne kľučkovať a preskakovať ich.

Deti sa nemohli hrať vonku, a tak si celý deň jeden z druhého strieľali.

Bonifác schoval do záchoda obrovského švába. Keď si Bela sadla na misu, jej zadok zažil nepríjemné prekvapenie.

CVAK!

„AU!"

Bela sa rozhodla pomstiť. Vytiahla všetku výplň zo sedačky. Keď sa na ňu Bonifác hodil, celého ho zhltla.

„OCH!"

Chlapec vysypal sestre na podlahu sklenené guľôčky. Keď vstúpila do izby, nohy sa jej roztancovali a vrážala do nábytku.

BUCH! PLESK! BUM!

Za odplatu mu do skrine dala mravce. Vliezli mu do oblečenia s štípali ho do zadku!

„ACH! JOJ!
ECH!"

Bonifác nelenil
a vyrezal jej do podla-
hy padacie dvere. Navrch
položil koberec. Keď naň
stúpila, spadla do diery...

V U Š Š Š Š !

„DOKELU!"

... a pristála v kresle, čo stálo
v knižnici.

BUM!

Bela mu do topánok naliala
med. Topánky sa mu nalepili
na nohy.

„UFFF!" stonal, márne sa snažiac vyslobodiť.

MĽASK!

Ich mama dostala hlúpy nápad. Dokonca i na svoje pomery. Zavolala deti do obývačky. V kresle driemala stará mama s mušketou v ruke.

„Bela! Bonifác!" začala. „Práve mi napadlo niečo geniálne."

„To sa na teba nepodobá, mamulienka," odvetila Bela. „Nechceš si ísť ľahnúť?"

„Máš pravdu, nebol to môj nápad, ale Pegasov."

„Mňa porazí," povzdychol si Bonifác.

„Mohli by ste si spolu zahrať Hady a rebríky!"

„Radšej si budeme robiť zle," povedala Bela.

„Hady a rebríky sú NUDNÉ," zívol Bonifác.

„Ty si NUDNÝ!"

„Nie, ty si NUDNÁ!"

„NUDNÝ! NUDNÝ! NUDNÝ!" zaspievala Bela.

„NUDNÁ! NUDNÁ! NUDNÁ!" zaspieval Bonifác.

„Prosím vás!" ozvala sa mama.

„NUDA! NUDA! NUDA!" skandovali deti.

„AK HNEĎ NESKLAPNETE, NEDOSTANE-
TE ŽIADNE DOMÁCE ÚLOHY!"

„HURÁ!"

Táto hrozba mame nevyšla.

Stará mama otvorila jedno oko.

„KTO TU ROBÍ TAKÝ BENGÁL?" za-
hrmela.

„Chcela som, aby deti konečne začali poslúchať
a pekne si zahrali Hady a rebríky," odvetila Bianka.

„NUDA! NUDA! NUDA!"

Stará mama schytila mušketu a vypálila do stropu.

PIF! PAF!

Deti razom stíchli. Na hlavu sa im zosypala omietka.

„Rozmyslela som si to. Milujem Hady a rebríky,"
pípla Bela.

„Ja tiež," pridal sa Bonifác.

„Vidíš, drahá? Stačilo ich len trochu motivovať!"
vyhlásila stará mama.

II

Mama poprosila komorníka, aby z povaly priniesol hru. Starec si na plecia vyložil dlhokánsky rebrík a pobral sa nahor. Čakala ho úmorná cesta po schodoch. Keď sa konečne vydriapal hore, opatrne oprel rebrík o stenu. Pomaly ako slimák sa plazil nahor.

Keď vyšiel k padacím dvierkam, čo viedli na povalu, s obavou sa pozrel dole. Z tej výšky sa mu zakrútila hlava.

„Smelo vpred!" povzbudzoval sám seba.

Povala sa rozprestierala pod deravou strechou Babrákovského panstva. Už roky tam nevkročila ani noha.

„Keby som tak objavil poklad," zasníval sa komorník. „Konečne by sme sa zbavili toho nešťastného dlhu."

Žiaľ, povala pripomínala skôr skládku odpadu.

Sklamaný komorník našiel:

- Tisíckusové puzzle s jedným dielikom.

- Kopu škatúľ s nepredanými sólotopánkami.

- Náramkové hodinky bez náramku.

- Starú cínovú vaňu s dierami od hrdze.

- Šálku na pštrosie vajce.

- Jedálenskú stoličku s dvoma nohami.

- Knihy zmáčané dažďom tak, že z nich zmizli slová. Vhodné pre ľudí, čo nevedia čítať.

- Uško bez šálky.

- Vypchatého mravca.

- Vlakovú sadu bez vlaku. A bez koľajníc.

Nič z toho sa nedalo predať. Také rárohy by nik nechcel, ani keby boli zadarmo.

„Ach jaj," povzdychol si komorník popod fúzy. „Ani deravý groš na záchranu Babrákovského panstva. A kde sú Hady a rebríky?"

Hra bola pod kopou ponožiek bez páru.

„MISIA SPLNENÁ!" jasal komorník a nadšene sa pohol k padacím dvierkam. Chcel položiť nohu na rebrík... ALE ŽIADNY TAM NEBOL!

Zapotácal sa...

„ÁÁÁÁÁ!"

... a spadol cez otvor!

BÁC!

Natiahol ruku práve včas, aby sa zachytil dvierok. Komorník sa hompáľal na ukazováku. Pod ním zívala prázdnota. Ak spadne, doláme si všetky kosti v tele!

„POMOC! POMÔŽTE MI!" kričal zúfalo.

Našťastie začul blížiace sa kroky.

„POMOC!" zvolal ešte hlasnejšie.

„ŠKREK!"

Nebol to nik iný ako domáci pštros.

„Cecil! Vďakabohu, že si tu!" potešil sa komorník.

„ŠKREK!"

„Spravíš mi láskavosť? Ďobni prosím lorda Babráka do zadku a okamžite ho sem priveď.“

Vták naklonil hlavu trochu nabok. Zdalo sa, že premýšľa.

„ŠKREK!“

„Sleduj!“ zvolal komorník a predviedol perfektnú pantomímu. Znázornil ďobajúceho pštrosa a Bohuša držiaceho si zadok. Cecil nadšene prikývol a rozbehol sa ku schodom.

„ŠKREK!“

O chvíľu sa ozvalo ďobanie a výkriky od bolesti.

ĎOB! ĎOB! ĎOB!

„AU! AU! AU!“

Cecil ďobal Bohuša, až kým nestál priamo pod visiacim komorníkom. Potom odbehol.

„PREKLIATY VTÁK!“

„Prepáčte, vaše lordstvo,“ ozval sa hlas zhora.

Bohuš sa obzeral okolo seba.

„Kde, doparoma, si?“

„Tu hore, pane!“

Bohuš sa pozrel dole.

„Trochu vyššie, pane!“

Bohuš sa pozrel hore.

„Komorník! Čo to tam stváraš, prepánakráľa?!"

„Hľadal som Hady a rebríky pre slečnu Belu a mladého pána Bonifáca."

„Výborne!" zvolal Bohuš, otočil sa na päte a pobral sa preč.

„Pane?"

„Áno?"

„Nevideli ste náhodou rebrík?"

„Nie."

„Ste si istý?"

„Ako vyzeral?"

„Rebríkovo."

„Nie! Nie! Nie! Nie! Nevidel som ho. Počkať. Vlastne áno! Áno! Áno! Videl som akúsi veľkú drevenú haraburdu s priečkami."

„To bude on, vaše lordstvo. Videli ste, ktorým smerom išiel?"

„Áno," odvetil Bohuš a pobral sa preč.

„Mohli by ste mi povedať, čo s ním je?"

„Horí."

„Horí?"

„Horí."

„Prečo rebrík horí?"

„V dome je strašná zima. Hnusné počasie! Posekal som ho a hodil do ohňa."

„Prečo ste nepoužili drevo na kúrenie?"

„Odložil som ho na horšie časy."

„Horšie časy? Toto sú najhoršie časy! Ako sa dostanem dole?"

„Mrzí ma to, komorník, no ďalší rebrík si nemôžeme dovoliť. Tak či onak sme zadlžení až po uši. V pondelok sa môžem zastaviť v meste a spýtať sa muža z banky, či nám požičia peniaze na nový rebrík. No radšej si nerob veľké nádeje."

„Ak sa pustím, nemám už ani najmenšiu nádej, pane."

„Vydržíš do pondelka?"

„Nie!“

„Aká ošemetná situácia! Musím sa nad tým zamyslieť.“

Nastalo dlhé ticho.

„Nerozmýšľajte pridlho, pane. Už sa dlhšie neudržím.“

„Hmmm,“ zahmkal Bohuš. Všimol si, že taký zvuk vydávajú premýšľajúci ľudia. „Aleluja! Mám to!“

„Áno, pane?“

„Pod pazuchou máš Hady a rebríky. Môžeš použiť rebrík z hry!“

Komorník si vzdychol.

„So všetkou úctou, vaše lordstvo, to nebude fungovať.“

„Máš pravdu. Ja hlupák! Po rebríku sa predsa chodí nahor. Dole sa musíš spustiť po hadovi!“

„Ani to nepomôže, pane!“

„PRIŠIEL SOM NA TO! SOM GÉNIUS! JEDNODUCHO OTOČ HADY A REBRÍKY NAOPAK!“

Komorník zúfalo potriasol hlavou. Bola to HLÚPOSŤ GIGANTICKÝCH ROZMEROV!

„Čo keby ste zvolali Babrákovcov a spoločne vymysleli plán?"

„Výborný nápad! Zvolám bojovú poradu. Drž sa, komorník!"

„Nič iné mi nezostáva!"

III

Bohuš zmizol a objavila sa stará mama.

„Vaša jasnosť!"

„KTO JE TAM?" vyštekla a dvihla mušketu.

„To som ja, komorník. Napadlo mi, či by…"

„PREPÁNAJÁNA, TAK HOVOR, ČLOVEČE!"

„Pomohli by ste mi zísť dole?"

Stará mama si ho zamyslene premerala od hlavy po päty. Vtom jej svitlo.

„Zostrelím ťa!"

„To je od vás veľmi milé, madam, ale radšej nie."

„Prečo?"

„Lebo by som bol mŕtvy."

„Tak chceš sa dostať dole alebo nie?"

„Áno, ale v ideálnom prípade **živý.**"

„Rozmaznanec akýsi!" vybuchla a odpochodovala preč. „Idem spať."

„To je nápad!" potešil sa komorník. „Potrebujem plachtu!"

Trvalo večnosť, kým sa Bohuš vrátil. Bol sám.

„Zdravíčko!" zatrilkoval.

„Prepáčte, pane, no kde sú ostatní Babrákovci?"

„Mama si išla ľahnúť."

„Všimol som si."

„Musí sa vyspať do krásy."

„Očividne."

„Je mi ľúto, no ostatní majú plné ruky práce."

„Smiem vedieť, čo robia?"

„Nuž, Bela a Bonifác sedia a čakajú na Hady a rebríky."

„Jasné. A lady Babráková?"

„Cvála po tanečnej sále na vymyslenom koni."

„Chápem. Je dôležité mať koníčky. Prosím, nájdite najväčšiu plachtu na panstve a prineste ju."

„Hneď to bude, priateľu! Prepínam a končím!"

*

Tentoraz to Bohušovi trvalo ešte dlhšie. Keď sa konečne vrátil, v ruke zvieral hračkársku loď.

„Toto je najväčšia jachta, akú som našiel!" zvolal a hrdo ju ukázal komorníkovi.

„Povedal som plachtu, nie jachtu!"

„Hm. Mal si sa vyjadriť jasnejšie. Myslel som si, že sa odtiaľ chceš odplaviť."

„Lord Babrák, mohli by ste, prosím vás, priniesť najväčšiu plachtu, akú nájdete? Zavolajte aj vašu ženu a deti. Už sa dlho neudržím. Je to otázka života a smrti!"

Po chvíli, ktorá komorníkovi pripadala ako celá večnosť, začul dupot na schodoch. Objavili sa Babrákovci. Čuduj sa svete, Bohuš mal v rukách špinavú plachtu. Bola prežratá moľami, no na detaily v tej chvíli nebol čas.

„Ďakujem! Ďakujem! Ďakujem!" jasal komorník. „Každý zoberte jeden koniec a poriadne ju natiahnite. Potom sa pustím a vy ma chytíte."

„ROZKAZ!" zvolal Bohuš.

Chytili plachtu za rohy a pobrali sa na miesto.

„VÝBORNE!" zakričal komorník zhora. „Pustím sa za tri... dva... jeden!"

Zatvoril oči a skočil.

V U Š Š Š !

„LETÍÍÍÍM!"

Dopadol presne do stredu.

BUCH!

Babrákovci zatiahli za konce plachty, aby zmiernili jeho pád, ale...

P I N K !

... komorník sa odrazil a vyletel nahor. Znova sa chytil padacích dvierok.

„Dočerta!" zaklial.

Zdola sa ozval hlas. Bola to Bianka.

„Komorník?"

„Áno, madam?"

„Vyzerá to tak, že tam zostaneš visieť večne. Buď taký dobrý a hoď nám škatuľu s Hadmi a rebríkmi."

Komorník bol oddaný sluha, a tak spravil, čo chcela.

„Samozrejme, madam. Ste pripravená?"

„Áno."

Opatrne jej hodil hru, čo zvieral pod pazuchou.

ŠUP!

Bianka sa potkla a škatuľa ju udrela do hlavy.

BUM!

„AU!"

Hra sa otvorila, hracia doska sa rozbila na polovicu a panáčiky s kockou sa rozkotúľali po podlahe.

„HUPS!" hlesla.

„To by sme mali, komorník," vyhlásil Bohuš. „Sem-tam ti prinesieme šálku čaju a sušienku. Budeš nám chýbať. Želáme ti veľa šťastia."

Chytil svoju ženu za ruku a pobrali sa dolu schodmi.

„Nemôžete ma tu predsa nechať visieť!"

„Nie?"

„NIE!"

„Komorník?"

„Áno, pane?"

„Budeš taký láskavý a zídeš na chvíľu dole? Je tu strašný neporiadok!"

„Nemôžem, pane. Ak sa pustím, narobím ešte väčší."

„Už to mám!" prerušil ich Bonifác. „Jednoduchá, a pritom geniálna myšlienka!"

„Aká?" spýtala sa Bela.

„Celý čas sme ju mali priamo pred očami!"

„Ale čo?!"

„Predsa tú myšlienku!"

„Tak nám ju konečne prezraď!"

„Je to presne ako v tej hre. Komorník išiel horc po rebríku. Takže dole sa musí spustiť po hadovi!"

„Žiadneho nemáme."

„Nie, ale viem, kde ho nájdeme," vyhlásil Bonifác. „Poďte za mnou!"

Bonifác bol z celej rodiny najviac spätý s prírodou. Myslím to tak, že vo vreckách nosil ropuchy, v ruke poháre pretckajúce červami a v nose slimáky. Pre lepšiu predstavivosť prikladám tento užitočný nákres:

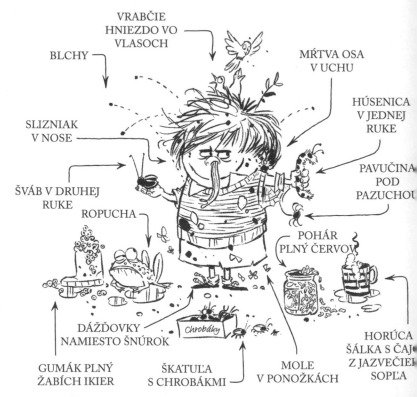

VRABČIE
HNIEZDO VO
VLASOCH

BLCHY

MŔTVA OSA
V UCHU

HÚSENICA
V JEDNEJ
RUKE

SLIZNIAK
V NOSE

PAVUČINA
POD
PAZUCHOU

ŠVÁB V DRUHEJ
RUKE

ROPUCHA

POHÁR
PLNÝ ČERVOV

DÁŽĎOVKY
NAMIESTO ŠNÚROK

Chrobáky

HORÚCA
ŠÁLKA S ČAJ
Z JAZVEČIE
SOPĽA

GUMÁK PLNÝ
ŽABÍCH IKIER

ŠKATUĽA
S CHROBÁKMI

MOLE
V PONOŽKÁCH

Stará mama sa konečne prebrala z driemot a rodina sa zhromaždila vo vstupnej hale.

„JA TOHO OBROVSKÉHO HADA ULOVÍM!" vyhlásila starena. Stála tam iba v nočnej košeli a v rukách zvierala mušketu.

„Je to nebezpečné, stará mama!" ozvala sa Bela.

„Keď som bola v tvojom veku, lovila som v Belgicku pytóny."

„V Belgicku?" čudoval sa Bonifác. „Žijú tam pytóny?"

„Nie. Práve preto bolo čertovsky ťažké ich uloviť."

„Žijú v Anglicku hady?"

„Veľa nie, ale zato je tu kopec dážďoviek," odvetil Bonifác.

„DÁŽĎOVIEK?" zahrmela stará mama.

„Je to najlepšia náhrada hada, akú poznám."

„To ťažko. Inak by sa tá hra volala Dážďovky a rebríky."

„Ako sa komorník spustí po dážďovke?" nadhodila Bela.

„Nezostáva nám nič iné, ako nájsť poriadne dlhého jedinca," odvetil Bonifác. „Za tie roky som už pochytal poriadne ozruty. V záhrade určite nejakú vykopeme!"

„Vonku zúri búrka," pripomenula Bela.

„Práve odbila polnoc," dodala mama.

„Ideálny čas na lov dážďoviek! Milujú vlhko a tmu. Poďte za mnou!"

Babrákovci sa pobrali do záhrady. Onedlho boli mokrí ako myši a triasli sa od zimy. Mali iba jednu lopatu, ktorú si privlastnila stará mama.

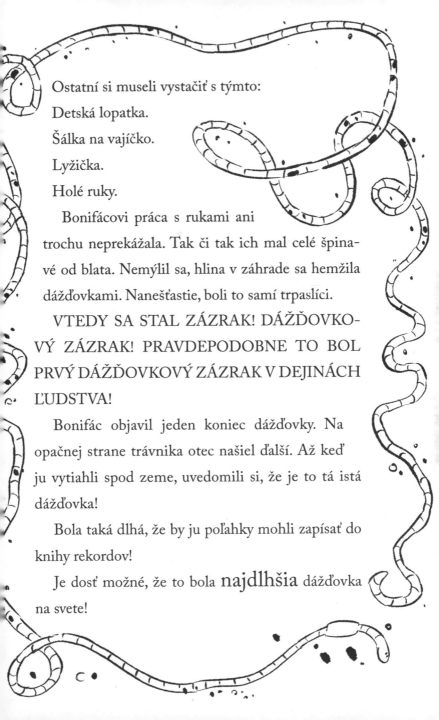

Ostatní si museli vystačiť s týmto:

Detská lopatka.

Šálka na vajíčko.

Lyžička.

Holé ruky.

Bonifácovi práca s rukami ani trochu neprekážala. Tak či tak ich mal celé špinavé od blata. Nemýlil sa, hlina v záhrade sa hemžila dážďovkami. Nanešťastie, boli to samí trpaslíci.

VTEDY SA STAL ZÁZRAK! DÁŽĎOVKOVÝ ZÁZRAK! PRAVDEPODOBNE TO BOL PRVÝ DÁŽĎOVKOVÝ ZÁZRAK V DEJINÁCH ĽUDSTVA!

Bonifác objavil jeden koniec dážďovky. Na opačnej strane trávnika otec našiel ďalší. Až keď ju vytiahli spod zeme, uvedomili si, že je to tá istá dážďovka!

Bola taká dlhá, že by ju poľahky mohli zapísať do knihy rekordov!

Je dosť možné, že to bola najdlhšia dážďovka na svete!

Keď ju stará mama zbadala, siahla po muškete.

„USTÚPTE!" zrevala. „Odpálim tú beštiu do Belgicka!"

„NIE!" zvolal Bonifác a postavil sa medzi hlaveň zbrane a dážďovku. „Je to moja kamoška! Dal som jej meno Krpaňa. Nesmieš jej ublížiť! Je to naša posledná možnosť zachrániť komorníka. Šmykne sa po nej z povaly."

„Ale ako sa šmýka po dážďovke?" spýtala sa Bela.

„Opatrne," hlesla mama.

Premočení Babrákovci sa vrátili späť do Babrákovského panstva. Vybehli hore schodmi, aby komorníkovi oznámili dobré správy.

„DÁŽĎOVKA?" vykríkol zhrozene.

„Áno. Najviac sa podobá hadovi," odvetil Bohuš.

„To ma privádza ku geniálnej myšlienke... vytvorím hru Dážďovky a hady! Určite zarobím miliardy!"

„O tom pochybujem," schladila ho stará mama. „A teraz buď dobrý chlapec a konečne sklapni!"

„Pri všetkej úcte," ozval sa komorník, „po dážďovke sa predsa nedá..."

„Sme dohodnutí," prerušil ho Bonifác. „Hodím ti jeden koniec Krpane a ty ho chytíš. Ideme na to! Jeden! Dva! Tri!"

Chlapec rozhojdal dážďovku a vyhodil ju. Komorník po nej chňapol. Už-už ju mal, no v tom sa do haly vrútil Cecil.

„ŠKREK!"

Schytil Krpaňu do zobáka a rozbehol sa preč. Bolo jasné, že sa ju chystá zhltnúť! Zabudol však na to, že druhý koniec zviera Bonifác. Nečuduj sa. Predsa len – bol to pštros.

Dážďovka sa natiahla... T I N K !

„POMOC!" zvolal Bonifác.

Ostatní k nemu pribehli, aby mu pomohli. Pripomínalo to súboj v preťahovaní lanom. Ťahali ako o život, no Cecil dážďovku nepustil.

„POŠTEKLITE HO!" navrhol visiaci komorník.

„KOHO? MŇA?" preľakol sa Bohuš.

„NIE! CECILA!"

Bohuš nervózne podišiel k pštrosovi. Natiahol ruku a pošteklil ho pod bradou.

„ŠKREK!"

Vták otvoril zobák a dážďovka mu vykĺzla. Odrazila sa od zeme a udrela Belu do oka.

„AU!" zrevala.

Cecil sa nevzdával. TÁ DÁŽĎOVKA PATRÍ JEMU! Odvážne sa vrhol na Babrákovcov a zhodil ich na zem.

„UF!"

Hrozilo, že ich pošliape! Potrebovali plán, a to HNEĎ!

„EŠTE HO POŠTEKLI, TATULIENKO!" zvolala Bela.

Nanešťastie pre Bohuša, no našťastie pre ostatných, hlavu mal priamo pod pštrosím zadkom. Silno zatvoril oči a natiahol ruku.

Šteklenie na zadku nemá nikto rád.

CECIL HO VŠAK NENÁVIDEL!

„ŠKREK!" zaškriekal a vyletel do vzduchu.

V U Š Š Š Š !

Vyletel tak vysoko, že vrazil do komorníka visiace-
ho zo stropu.

BUM!

„ŠKREK!"

Muž sa pustil a pristál mu na chrbte.

CAP!

„ŠKREK!"

Ak si komorník mys-
lel, že ho Cecil bezpečne
dopraví na zem, mýlil sa.
Pštrosy predsa nevedia
lietať! Namiesto toho sa
zrútili dolu a pristáli rov-
no na Babrákovcoch.

TRESK!

Komorníkovi ani Cecilovi sa nič nestalo, no ostatní otrasene ležali na zemi. Komorník schytil dážďovku a strčil si ju do náprsného vrecka. Cecil to zbadal a rozbehol sa za ním. Starec vyskočil na zábradlie a spustil sa po ňom ako po šmykľavke.

V Z Z Z Z U M !

Pštros sa v tesnom závese rútil za ním po schodoch.

„ŠKREK!"

Komorník sa šuchtal k dverám tak rýchlo, ako vládal. Stihol to len tak-tak. Zabuchol ich Cecilovi pred nosom... teda vlastne pred zobákom.

„ŠKREK! ŠKREK! ŠKREK!" vrieskal Cecil a ďobal do okna.

CINK! CINK! CINK!

Nedokázal myslieť na nič iné ako na tú dážďovku. Komorník naňho ponad plece hodil samoľúby úsmev a odkrivkal do záhrady.

Búrka sa utíšila. Vonku svitalo. Slnko sa predralo pomedzi oblaky. Komorník položil dážďovku na zem a sledoval, ako sa zavŕtava do zeme.

„Maj sa, Krpaňa," rozlúčil sa. Dobrý skutok mu na tvári vyčaril úsmev.

Práve sa chystal odšuchtať domov, keď na trávniku uvidel známu postavu.

BOL TO MUŽ Z BANKY!

Za mužom z banky kráčal zástup robotníkov.

„Môžem vám nejako pomôcť, páni?" spýtal sa komorník.

„NIE! NEMÔŽETE!" vyštekol muž z banky.

„Smiem sa spýtať, čo robíte na pozemku rodiny Babrákovcov?"

„Toto sú robotníci, ktorí o pár týždňov premenia Babrákovské panstvo na Babrákovskú polepšovňu."

Muž z banky vytiahol z kufríka veľký nákres. Navrchu stálo

BABRÁKOVSKÁ POLEPŠOVŇA.

Detailne zobrazoval všetky zmeny, ktoré sa chystal v dome vykonať.

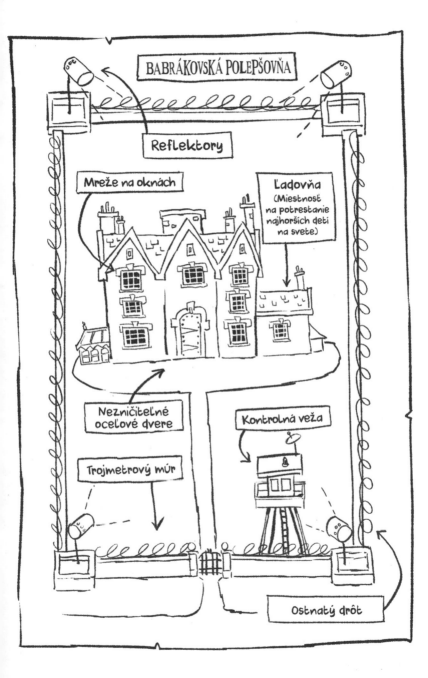

Muž z banky sa obrátil k robotníkom.

„Do tohto krídla umiestnime extrémne neposlušné deti, takže tamtie okná zamurujete..."

Nepozvaný hosť Babrákovcov poriadne nahneval. Vyrútili sa z domu a zamierili k nemu.

„AKO SA OPOVAŽUJETE BEZ DOVOLENIA VSTUPOVAŤ NA NÁŠ POZEMOK?" oborila sa naňho stará mama.

„Veru sa opovažujem, madam! Onedlho bude Babrákovské panstvo a všetko v ňom patriť banke. Na vašom mieste by som si začal baliť kufre!"

„Ste krutý netvor!" zvolala Bianka so slzami v očiach.

„Neplač, mamulienka," povedala Bela a objala ju.

„Kde je Krpaňa, keď ju najviac potrebujeme?" rozčuľoval sa Bonifác. „KRPAŇA!"

„Kto je Krpaňa?" divil sa muž z banky.

„Ak budete mať šťastie, onedlho sa s ňou zoznámite. KRPAŇA!"

To, čo Babrákovci nazývali šťastím, znamenalo pre muža z banky smolu. Jeden koniec najdlhšej dážďovky na svete vykukol spod zeme a omotal sa mu okolo členka.

„ÁÁÁ!" kričal, zatiaľ čo ho Krpaňa sťahovala pod zem. Robotníci mu chceli pomôcť, no ona bola rýchlejšia.

ŠUPS!

O chvíľu nebolo po Krpani a mužovi z banky ani chýru, ani slychu. Zostala po nich len hŕba hliny na trávniku.

„Mali by sme ho zachrániť," ozval sa Bohuš.

„Nie tak rýchlo!" odbila ho stará mama. „Je čas na olovrant."

Otočila sa na päte a odpochodovala do domu. Ostatní sa pobrali za ňou.

Robotníci nanešťastie vykopali muža z banky spod zeme. Bol celý od hliny, takže ešte väčšmi pripomínal krtka. Dokonca i bez toho vyzeral ako krtko.

„BABRÁKOVCI!" zrúkol. Z úst mu odfrkávali kúsky hliny a jazyk mal čierny. „PRISAHÁM, ŽE SA VRÁTIM A VEZMEM VÁM BABRÁKOVSKÉ PANSTVO, VY ÚBOHÍ MAMĽASI!"

ŠKANDALÓZNY PRÍBEH OBROVSKEJ DYNE

„VYHRÁME PRVÚ CENU! V STÁVKE JE NAŠA RODINNÁ ČESŤ! BABRÁKOVCI ZVÍŤAZIA!"

Lord Babrák nadšene rečnil o súťaži v pestovaní dýň, čo sa každoročne konala v obci. Vždy v nej skončil posledný. Jeho trpasličie dyne porotu neočarili. Niektoré dokonca diskvalifikovali, pretože boli primalé.

Tento rok však išlo o záchranu Babrákovského panstva a Bohuš bol rozhodnutý vyhrať.

„Tá nechutná záležitosť s bankou si na nás vybrala svoju daň," povzdychol si a zahľadel sa na svoju rodinu. „Výhra v súťaži o najväčšiu dyňu by bola vítanou vzpruhou!"

„Aká je hlavná cena?" spýtala sa Bela.

„Obrovský pohár džemu!"

„Ako nám pohár džemu pomôže zachrániť Babrákovské panstvo?" čudoval sa Bonifác.

„Je to symbol, chlapče," odvetila stará mama. „Symbol toho, že my Babrákovci niečo znamenáme!"

„Ak bude ten pohár dosť veľký, môžeme doň zavrieť muža z banky ako osu," navrhla Bianka.

„Taký veľký nie je, drahá," povedal Bohuš. „No prezradím ti, čo je VEĽKÉ. VÄČŠIE NEŽ VEĽKÉ! OBROVELIKÁNSKE!"

„ČO?" spýtala sa stará mama.

„MOJA DYŇA! Poďte za mnou! Ide sa do skleníka!"

Babrákovci na čele s Bohušom vypochodovali z domu.

„HIJÓ, PEGAS!" zvolala Bianka a odcválala na neviditeľnom koni.

Cecil, ktorý ďobal do zeme v snahe vyhrabať dážďovky, zodvihol hlavu a pobral sa za nimi.

„ŠKREK!"

Odrazu na záhradu dopadol obrovský tieň. Babrákovci obrátili hlavy k oblohe. Priamo nad nimi sa vznášala vzducholoď.

„POZRITE!" zvolal Bonifác a ukázal na ňu.

„Ešte nikdy som nad naším panstvom nevidela vzducholoď," povedala stará mama a zastala. „Čo tam robí?"

„Letí," odvetil Bohuš. „A teraz sa pohnite, nech nezmeškáte slávnostné odhalenie!"

S tými slovami otvoril dvere starého ošarpaného skleníka. Kľučka mu zostala v ruke.

„Hups!" hlesol.

V rohoch viseli pavučiny. Hemžilo sa to tam voškami. Po stenách sa plazila pleseň. Vo vzduchu sa vznášal puch.

„PODRŽTE SA!" zvolal a strhol plachtu z vreca plného hliny. „MOJA GIGANTICKÁ DYŇA!"

Babrákovci zvedavo podišli bližšie. Pred nimi ležala najmenšia, najvráskavejšia a najzošúverenejšia dyňa na svete.

„Drahý, si si istý, že to nie je malá cuketa?" ozvala sa Bianka.

„Existuje iba jeden spôsob, ako to zistíme!" zvolala stará mama a dvihla mušketu. „ROZSTRIEĽAM TÚ POTVORU NA FRANFORCE!"

„NIE! NIE! NIE! MAMA! Možno ešte vyrastie! Zmiluj sa nad mojou dyňou!" prosíkal Bohuš.

„Milosrdné by bolo spláchnuť ju do záchoda," odfrkol si Bonifác.

„Milosrdné by bolo spláchnuť do záchoda *teba*," podpichla ho Bela.

„Už som to skúšal, ale nevošiel som sa."

„Škoda, že som pri tom nebola. Mohla som ťa postrčiť záchodovou kefou!"

„Prestaňte, deti," prerušila ich mama. „Pegas je z vás nervózny. LEN POKOJ, PEGAS!"

„Nechcem ti kaziť radosť, tatulienko, ale s týmto tu vyhráš nanajvýš súťaž o najmenšiu dyňu," ozvala sa Bela.

„Veď som použil zázračné hnojivo!"

„Čo v ňom bolo? Len mi nepovedz, že tvoje hovienka!"

„Nie! Pštrosic hovienka!"

„ŠKREK!" súhlasil Cecil.

„Mal si si vypýtať Pegasove hovienka," povedala Bianka. „Určite by ti s radosťou vyhovel, však, Pegas? Och! Práve pre teba jedno vyrába! Fíha! To je poriadny kus! Dobrý koník!"

Sklonila sa k obrovskej kope ničoho na zemi.

Cecil využil chvíľu nepozornosti, vyďobol dyňu zo zeme a na jeden hlt ju zlupol.

„ŠKREK!"

„Opäť som vás sklamal," nešťastne vyhlásil Bohuš. „Tak veľmi ma to mrzí."

Stará mama svojmu synovi povzbudivo stisla plece. Keď prehovorila, zaskučal od bolesti.

„Niečo ti prezradím, chlapče. Existuje staré babrákovské príslovie, ktoré si naša rodina odovzdáva z generácie na generáciu. Posvätný zákon, ktorý nás sprevádza po stáročia!"

„Ako znie, mamulienka?"

„KEĎ SI NEVIEŠ RADY, TAK SA NEDRŽ PRAVDY!"

Vzducholoď krúžila nad Babrákovským panstvom. Na boku sa vynímal zlovestný symbol.

„HÁKOVÝ KRÍŽ!" vykríkol Bonifác.

„NACISTI!" potvrdila stará mama. „VEĎ PREDSA NIE JE VOJNA! ASPOŇ ZATIAĽ."

„Žeby nečakaný útok?" hádal chlapec.

Nemýlil sa. Zhora sa ozvala paľba.

RA-TA-TA-TA!

Vzducholoď bola ozbrojená guľometmi!

RA-TA-TA-TA!

Zo skleníka zostala len hŕba skla.

RA-TA-TA-TA!

„K ZEMI!" zreval Bohuš a zakryl manželku a deti vlastným telom.

Bianka mala nervy v kýbli. Od strachu si nahlas prdla.

PUFFF!

„Že sa nehanbíš, Pegas!" vyhlásila nevinne.

„MAMA, ĽAHNI SI NA ZEM!" prosil Bohuš.

„NIKDY!" odvetila stará mama, rozhodnutá neustúpiť ani o krok. Trávu okolo nej kropili guľky. Chladnokrvne zodvihla mušketu, zamierila a vystrelila.

BUM!

„ZÁSAH!" zvolala naradostene.

Vzducholoď bláznivo križovala oblohu. Pripomínala balón, čo niekto nafúkal, no nezaviazal.

V U Š Š Š Š Š !

Pri lietaní vydávala nechutný zvuk.

PRRRD!

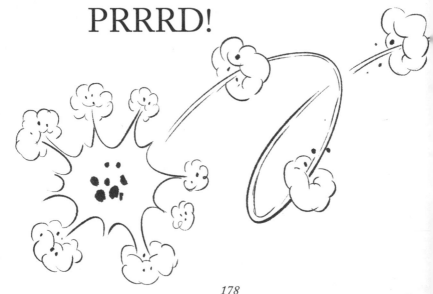

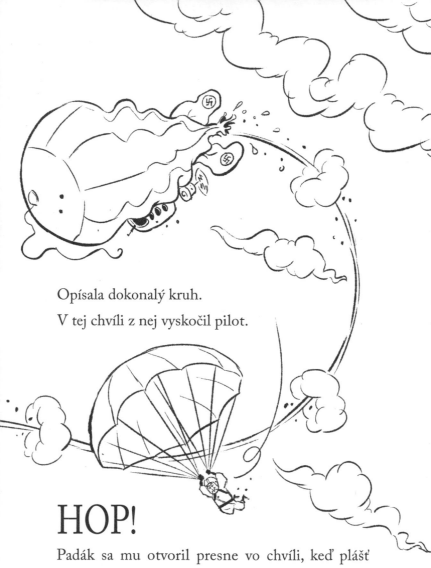

Opísala dokonalý kruh.

V tej chvíli z nej vyskočil pilot.

HOP!

Padák sa mu otvoril presne vo chvíli, keď plášť vzducholode spľasol a zrútil sa na zem.

V U Š Š Š Š !

Pristál priamo na Bohušovi.

„POMOC!" zvolal.

„KTO TO KRIČÍ?" nechápavo sa obzerala stará mama.

„Ja!"

„KTO JA?"

„Bohuš."

„AKÝ BOHUŠ?"

„Tvoj syn!"

„Už viem! Prečo si to nepovedal hneď? Kde si?"

„Uväznený pod vzducholoďou!"

„Ani sa nepohni! Pomôžeme ti!"

Babrákovci ho vytiahli za nohu. Stará mama sa pozrela na oblohu. Po parašutistovi nebolo ani pamiatky.

„Všimli ste si, kde pristál?" spýtala sa.

„Nie!"

„Možno spadol do rybníka a žubrienky ho zjedli na večeru!" povedal Bonifác.

„Nezostáva nám nič iné, ako dúfať," prisvedčil Bohuš. „Našťastie všetko dobre dopadlo!"

„DOBRE?" neveriacky zopakovala Bela. „Takmer z nás urobil rešeto!"

„Máš pravdu, to *bolo* nepríjemné. Čosi vám však prezradím, moji milí Babrákovci. Práve sa pozeráte na našu víťaznú dyňu!"

Ukázal na sfúknutý balón.

„Tatulienko!" zvolala Bela. „Hádam si len nemyslíš, že..."

„Áno, myslím! Bude to môj najúžasnejší vynález – vzducholodyňa!

„*Čo?!*"

„BABRÁKOVCI! PREMENÍME TÚTO VZDU-CHOLOĎ NA OBRIU DYŇU!"

Neviem, či sa ti už niekedy podarilo premeniť vzducholoď na obriu dyňu, ale poviem ti – nie je to ľahká úloha.

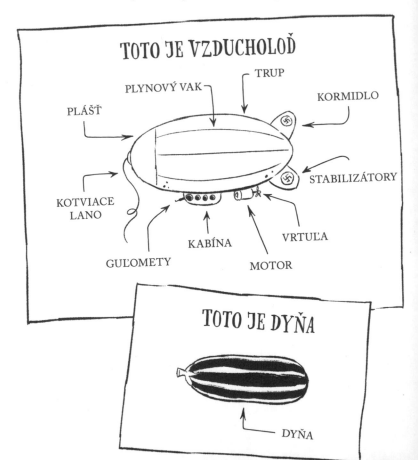

TOTO JE VZDUCHOLOĎ

PLÁŠŤ

PLYNOVÝ VAK

TRUP

KORMIDLO

STABILIZÁTORY

KOTVIACE LANO

GUĽOMETY

KABÍNA

MOTOR

VRTUĽA

TOTO JE DYŇA

DYŇA

„Ak nám na to ľudia skočia, budú sa sem hrnúť z celého sveta a obdivovať našu dyňu!" zvolal Bohuš.

„Zarobíme celý majetok! A keď už ju uvidí aj posledný človek na svete, uvaríme z nej more dyňovej polievky."

„Ale veď by bola zo vzduchu, nie z dyne," namietla Bela.

„Máš pravdu. VZDUŠNÁ POLIEVKA! POĎTE BLIŽŠIE, BABRÁKOVCI! ROZDELÍM VÁM ÚLOHY!"

Rodina naňho s očakávaním hľadela.

„Cecil, použi svoj zobák a niť a zaši dieru, čo stará mama spravila s mušketou."

Bolo odvážne zveriť takú zložitú úlohu pštrosovi, no Cecil súhlasne zaškriekal...

„ŠKREK!"

... a začal šiť.

„Bonifác, tvojou úlohou bude namaľovať vzducholoď nazeleno."

„Čo za to dostanem?"

„Vedro zelenej farby!"

Strčil mu do ruky farbu a štetec, a chlapec sa neochotne pustil do práce.

„TO NIE JE FÉR, TATULIENKO!" zvolala Bela a nahnevane dupla nohou. „JA SOM CHCELA MAĽOVAŤ!"

„Veď aj budeš! To je na mojom pláne to úžasné! Namaľuješ na vzducholoď žlté pruhy, aby vyzerala ako dyňa."

„NENÁVIDÍM ŽLTÚ FARBU!"

Stará mama ich prerušila:

„Ja to vyriešim, Bohumil. HNEĎ SA DO TO-HO PUSTI, DIEVČA! INAK BUDEM NÚTENÁ OTOČIŤ ŤA HORE NOHAMI A VYMÁČAŤ TI HLAVU V ŽLTEJ FARBE!"

Bela ani nemukla a začala maľovať.

„BIANKA!" zvolal Bohuš.

„Ach, drahý! Keby si len vedel, ako sa hanbím za ten prd!" zaplakala.

„Netráp sa, miláčik. Všetci vieme, že tvoj zadok si žije svojím vlastným životom. Teraz potrebujem, aby si nasadla do Barónky a priviezla ju na zadný dvor."

„Idem na to!" zvolala. „Pegas! LEŤ AKO VIE-TOR! HUPS! NEMYSLÍM MOJE VETRY, ALE NORMÁLNY VIETOR!"

„KOMORNÍK!" zakričal Bohuš.

Komorník sa vyšuchtal z domu a pobral sa k nemu.

„Áno, vaše lordstvo?"

„Si urastený deväťdesiatdeväťročný mladík, a tak ti zverím úlohu pre silákov."

„Áno?"

„NAFÚKNEŠ BALÓN!"

„Prepáčte, pane. Asi som zle počul. Chcete, aby som nafúkol balón?"

„ÁNO!"

„Ale veď nemám pumpu!"

„Žiadnu nepotrebuješ! POSTAČIA TI TVOJE STARÉ DOBRÉ PĽÚCA!"

Komorník dokrivkal k balónu. Chytil koniec medzi prsty, zhlboka sa nadýchol a fúkol.

FÚÚÚ!

Nakoniec Bohuš podišiel k svojej mame.

„Mamulienka?"

„Áno, Bohuš?"

„Tvojou úlohou je do ničoho nestrieľať."

„Budem sa snažiť, no nič nesľubujem!"

PIF! PAF!

Veci sa dali do pohybu. Nebol to ideálny začiatok.

Bonifác namaľoval Belu nazeleno.

„HA! HA!"

Aby sa mu pomstila, namaľovala ho nažlto.

„CHI! CHI!"

Bianka nabúrala autom do stromu.

T R E S K !

Komorníkovi sa darilo viac. Za úsvitu nafúkal balón tak, že začal poskakovať po zemi.

HOP! HOP! HOP!

„DOKÁZAL SI TO! TY SI TO DOKÁZAL!"

radoval sa Bohuš.

Rozbehol sa k nemu, aby ho objal, no nevšimol si vedro so zelenou farbou a stúpil doň. Noha sa mu zasekla.

ČĽUP!

Druhou nohou stúpil do vedra so žltou farbou.

ČĽUP!

Namiesto topánok mal dve vedrá.

Potkol sa a zrútil sa priamo na balón.

„HUPS!"

Vzduch sa vyvalil von s takou silou, že zrazil komorníka z nôh.

P F F F F F F T !

Úbohý starec skončil v živom plote.

ŠUCH!

Balón sa rútil vpred a zrážal všetko, čo mu prišlo do cesty. Komorníkovi nezostalo iné, len sa opäť pustiť do práce. Na poludnie balón znova nafúkal a opatrne zaviazal. Na ďalšie fúkanie už naozaj nemal náladu.

Vzducholoď bola teraz zelená so žltými pruhmi. Bola to tá NAJÚŽASNEJŠIA DYŇA, AKÚ KEDY SVET VIDEL!

Podarí sa Babrákovcom oklamať ľudí?

Najdôležitejšia osoba, ktorú museli prekabátiť, bol miestny vikár. Vyzeral ako mimoriadne pekné prasa.

NÁJDI ROZDIELY

Vikár bol už päťdesiat rokov hlavným rozhodcom v súťaži o najväčšiu dyňu. Keď na svojej trojkolke vošiel na Babrákovské panstvo, rodina skryla obriu dyňu za vysoké stromy na konci záhrady. Zaslúžila si VEĽKOLEPÝ PRÍCHOD NA SCÉNU!

Ďalšími návštevníčkami boli staré dámy. Pripomínali salónky na stromčeku – každá mala na sebe niečo ligotavé a farebné.

Komorník mal za úlohu privítať hostí a postaviť stánky na dedinskú slávnosť.

DEDINSKÁ SLÁVNOSŤ

LOV GUMENÝCH KAČIEK
TIPNI SI, KOĽKO VÁŽI OVOCNÁ TORTA
TOMBOLA
PREDAJ STAROŽITNOSTÍ
ZHADZOVANIE KOKOSOVÝCH ORECHOV
MAĽOVANIE NA TVÁR
HÁDZANIE KRUHOV
CUKROVÁ VATA
PRIPNI CHVOST SOMÁROVI
MAČKA VO VRECI

Brutus Buran, miestny farmár, bol drsný chlapík. Vznášal sa okolo neho všadeprítomný zápach hnoja.

BRUTUS BURAN

ZÁPACH HOVIENOK
(NIE VLASTNÝCH)

BARETKA

ROZBITÝ NOS
(Z BOXOVANIA
BEZ RUKAVÍC)

ČERVEN
TVÁR

DIVOKA
BRADA

KARFIOLOVÉ
UCHO (TIEŽ
Z BOXOVANIA
BEZ RUKAVÍC)

PÄSTE
VO VEĽKOSTI
TEKVÍC

PODBITÉ
TOPÁNKY

DIERY
V NOHAVICIA
OD FRETIEł

Uprostred trávnika postavil drevený stôl, na ktorý nad-
šení záhradkári kládli svoje dyne. Všetky mali úctyhodnú
veľkosť, no zatiaľ medzi nimi nebolo jasného víťaza.

Brutus Buran priviezol svoju dyňu vo fúriku. Musel napnúť všetky svaly v tele, aby ju zodvihol. Obrovitánska dyňa pristála na stole.

BUM!

Ostatné dyne vyleteli do vzduchu.

„*Neni* to krásavica, pán vikár? Rovno mi *môžete* odovzdať pohár džemu pre *vítaza!*"

Kým vikár stihol odpovedať, medzi stromami sa objavili Babrákovci. Šliapali do pedálov svojho auta. A čo bolo priviazané na streche?

ÁNO, MÁŠ PRAVDU! GIGANTICKÁ DYŇA!

Dedinčanom od údivu padli sánky.

„ČO DO..." habkal farmár Buran.

Než stihol dopovedať nadávku, čo sa mu tlačila na jazyk, Barónka vrazila do stola s dyňami.

BUCH!

Bohuš Babrák otvoril dvere starého Rolls-Roycea a tie vypadli z pántov na trávnik.

BÁCH!

Tváril sa, akoby sa nič nestalo.

„Dobrý deň! Srdečne vás vítam na našom panstve!" zvolal.

Zvyšok rodiny sa vytrepal z auta a pustil sa do odväzovania dyne.

„OPATRNE!" okrikoval ich Bohuš. „JE ŤAŽKÁ!"

Bol to, samozrejme, podfuk. Obrovská dyňa vôbec nebola ťažká, bola totiž plná vzduchu, nie dužiny. Laná slúžili na to, aby ju neodfúklo.

Bohuš s Biankou chytili dyňu každý za jeden koniec a vliekli ju k stolu. Keď pristála na stole, ostatné dyne sa skotúľali na zem.

CUP! CUP! CUP!

Bohuš nechtiac stúpil na farmárovu dyňu.

M Ľ A S K !

Vyzeralo to, akoby si obul dyňovú topánku.

NÁJDI ROZDIELY

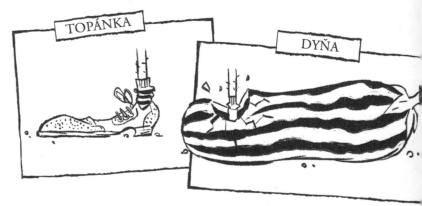

TOPÁNKA

DYŇA

„NIÉÉÉÉ!" zavyl farmár.

„To bol teda poriadny prešľap," zažartoval Bohuš.

Obrovský chlap očividne nemal zmysel pre humor.

Zagánil a buchol si päsťou do dlane.

BUCH!

Vikár podozrievavo sledoval celú scénu.

„Babrákovci! Toto predsa nie je skutočná dyňa!"

„Ako si dovoľujete tvrdiť čosi také?!" urazene zvolal Bohuš. Pritom sa nenápadne dotkol nosa, aby zistil, či mu od klamstva nenarástol.

„Pretože je nemožné, aby dyňa dorástla do takých monštruóznych rozmerov!"

„OCKO POUŽIL ZÁZRAČNÉ HNOJIVO!" vykríkla Bela. „PŠTROSIE HOVIENKA!"

„Ja som použil hrošie hovienka zo ZOO, a napriek tomu je vaša dyňa tisícnásobne väčšia než moja. Ako mi to vysvetlíte?" vyštekol farmár.

„Moje hovienka sú lepšie než tvoje," pokrčil plecami Bohuš.

Buran naňho nahnevane fľochol.

„AKO SA OPOVAŽUJEŠ URÁŽAŤ MOJE HOVIENKA?!"

„Ja... ehm... totiž..." koktal Bohuš.

V tej chvíli k nim našťastie pristúpila stará mama.

„BRUTUS BURAN! NIE SI TAKÝ STARÝ, ABY SOM ŤA NEMOHLA PREHNÚŤ CEZ KOLENO!"

„MÁM PÄŤDESIATDVA ROKOV!"

„VEĎ VRAVÍM!" zvolala a napľula si do dlane, pripravená zasadiť mu úder.

„PROSÍM VÁS! PROSÍM VÁS!" tíšil ich vikár. „Neprišiel som sem, aby som rozhodoval v boxerskom zápase!"

„To asi nie, ale mohli by ste," navrhol Bonifác.

„Pán vikár, prišli ste sem, aby ste nám udelili prvú cenu za najväčšiu dyňu," vyhlásila Bela.

„To sa ešte uvidí, mladá dáma!" odvetil, zúžiac oči tak, že boli takmer neviditeľné. „Podrobím túto takzvanú *dyňu* chuťovej skúške. Iba tak môžem potvrdiť jej *dyňovitosť!*"

S tými slovami zobral do rúk vidličku a nôž.

Babrákovci si vymenili zdesené pohľady. O chvíľu to praskne!

„Má alergiu!" vyhŕkla Bianka.

„Kto má alergiu?" nechápavo sa spýtal vikár.

„Naša dyňa! Je alergická na vikárov."

„Takú hlúposť som ešte nepočul!" povedal a zaboril príbor do „dyne".

„PRESTAŇTE!" zvrieskla Bela.

„ČO ZAS?!"

„Chystáte sa zabiť nevinnú dyňu!"

„Zabiť?"

„Má celý život pred sebou! Chce cestovať a poznávať svet. A, samozrejme, mať dyňčatá!"

„Dyňčatá?"

„Áno, malé detičky!"

Vikár sa rozľútostil.

„Kto som, aby som tejto dyni odopieral budúcnosť? Už nikdy v živote nevložím do úst zeleninu! Od dnes už len zvieratá! Dámy a páni, máme víťaza!"

„NIE!" zrúkol Brutus Buran. Strhol si z hlavy čiapku, hodil ju na zem a od hnevu ju podupal, takže pripomínala palacinku.

„Stúpate si po čiapke," podotkol Bohuš. Dvihol ju zo zeme, oprášil a podal rozzúrenému farmárovi.

„Víťazmi súťaže o najväčšiu dyňu sú..."

Babrákovci sa na seba žiarivo usmievali, pevne zvierajúc „dyňu", aby neodletela. Podarilo sa im to!

„STÁŤ!" zhúkol niekto.

Obyvatelia dediny sa zmätene rozhliadali. Odkiaľ prichádza?

„POVEDAL SOM, STÁŤ!"

„TAM!" zvolal komorník a ukázal na strechu Babrákovského panstva.

Pilot vzducholode visel z dela na šnúre z padáka.

„KTO STE?" zvolal vikár.

„NACISTICKÝ PILOT!"

„ČO ROBÍTE TAM HORE?"

„ZOSTRELILI MA!"

„Z ČOHO?"

„Z *KLOBÁSY.*"

„LETELI STE NA ÚDENINE?"

„NIEEE! *KLOBÁSA* JE NÁŠ NAJNOVŠÍ VO-JENSKÝ STROJ! SMRTIACA VZDUCHOLOĎ OZBROJENÁ GUĽOMETMI!"

„BOLI STE NA MISII?"

„NA SUPERTAJNEJ MISII!"

„PREZRADÍTE NÁM, O AKÚ NEVEĽMI TAJNÚ MISIU IŠLO?"

„NÁJSŤ VIDIECKE SÍDLO, V KTOROM SA VODCA USADÍ, KEĎ NAPADNE ANGLICKO!"

Bohuš potriasol hlavou.

„Najprv chcel Babrákovské panstvo muž z banky. Teraz ho chce už aj vodca!"

„BUDE VOJNA! HITLER SA CHYSTÁ NA-PADNÚŤ ANGLICKO!" zaúpela stará mama.

„TO V TEJTO CHVÍLI NIE JE DÔLEŽITÉ!" prerušil ju pilot. „IDE O TO, ŽE DNEŠOK JE TEMNÝ DEŇ PRE PESTOVATEĽSKÉ SÚŤA-ŽE NA CELOM SVETE! TOTO NIE JE OB-ROVSKÁ DYŇA! JE TO…"

VI

„Takže sme dohodnutí, vikár!" prerušil ho Bohuš.

„Babrákovci sú víťazi! POHÁR DŽEMU JE NÁŠ!"

„BABRÁKOVCI SI ŽIADNOM PRÍPADE NEZASLÚŽIA DŽEM!" zvolal pilot, nakláňajúc sa bližšie, aby ho počuli. „NIE JE TO ŽIADNA DYŇA, ALE..."

Šnúra, na ktorej visel, sa roztrhla.

PUK!

Pilot spadol...

„ÁÁÁÁ!"

... a pristál v jazierku s gumenými kačičkami.

ŠPLECH!

Vypľul kačku z úst.

„... VZDUCHOLOĎ!"

vytisol zo seba.

Všetky oči sa obrátili k „dyni". Bohuš s Biankou ju ešte stále pridržiavali.

„HUPS!" hlesli naraz, bezradne hľadiac jeden na druhého.

BABRÁKOVCI BOLI V PASCI!

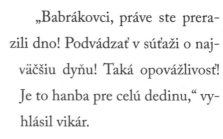

„Babrákovci, práve ste prerazili dno! Podvádzať v súťaži o najväčšiu dyňu! Taká opovážlivosť! Je to hanba pre celú dedinu," vyhlásil vikár.

„To je moja vina," priznal sa Bohuš. „Dúfal som, že Babrákovci aspoň raz v živote vyhrajú. No naším údelom je prehrávať."

„A vo vojne prehráte tiež!" zvolal pilot.

„V ŽIADNOM PRÍPADE!" zahrmela stará mama. „A NIKDY SA NEVZDÁME BABRÁKOVSKÉHO PANSTVA! NEDÁME HO MUŽOVI Z BANKY ANI TOMU VÁŠMU VODCOVI! NIKOMU!"

„HURÁ!" jasali dedinčania.

V tej chvíli pilot vytasil zbraň.

„Odrazu už nie ste takí odvážni, však?" posmieval sa.

„DOŠĽAKA! Kde je moja mušketa, keď ju najviac potrebujem?!" zvolala stará mama, stále zvierajúc vzducholoď.

„Počkajte tu," zasyčal Bonifác. „Mám plán. Bela, musíš mi pomôcť!"

„Dávajte si pozor, deti," šepla mama.

„Neboj sa," odvetila Bela.

„Žiadny strach, budem ich kryť," zašepkala stará mama.

Súrodenci sa vytratili, zatiaľ čo zvyšok rodiny pevne držal *Klobásu*. Po trávniku sa blížil pilot. Mieril na nich pištoľou.

„NIKTO ANI HNÚŤ!" prikázal.

Komorník sa šuchtal do domu pomalšie než slimák.

„NIE TAK RÝCHLO!"

Starec dvihol ruky nad hlavu.

„Kam ste sa vybrali?"

„Ach! Potrebujem si zavolať."

„Komu? Polícii? Chcete vyhlásiť poplach?"

„To by mi ani nenapadlo," klamal komorník. „Len som chcel zažlať svojej prababke všetko najlepšie k narodeninám."

„Koľko má rokov?"

„Tristodva."

„To vám tak uverím! Okamžite sa vráťte späť!"

Na toto rozptýlenie deti so starou mamou čakali.

Prišiel čas na

protiútok!

VII

Bela s Bonifácom sa rútili na Cecilovi. Chlapec zvieral
v rukách obrovský pohár džemu. Dievča držalo cukro-
vú vatu väčšiu než jej hlava.

„ŠKREK!"

Pilot sa otočil.

Stará mama predviedla odvážny premet a vykopla mu pištoľ z ruky.

KOP!

„ÁÁÁCH!"

Nedokázala však ubrzdiť a narazila do stánku s kokosovými orechmi.

BUCH! BUCH! BUCH!

Zhodila všetky do jedného!

„DOČERTA!"

Cecil sa medzitým rozbehol k pilotovi. Bonifác po ňom šmaril pohár s džemom.

ŠPLECH!

„BLÉ!" zvolal pilot od hlavy po päty pokrytý lepkavou oranžovou gebuzinou.

To najhoršie ho však ešte len čakalo.

Zatiaľ čo Cecil krúžil okolo neho, Bela natiahla ruku a obalila ho v cukrovej vate!

„NIEEE!" kričal.

Vyzeral ako veľký ružový oblak.

„HA! HA!"

Dedinčania sa dobre zabávali pri pohľade na pilota, ktorý sa zmätene tackal po trávniku, hľadajúc svoju pištoľ. Vo chvíli, keď sa po ňu zohol, Bianka pustila vzducholoď.

„HIJÓ, Pegas!" zvolala a popchla neviditeľného koňa k pilotovi.

Chlap na ňu namieril zbraň, no než stihol vystreliť, Bianka ho bičíkom šľahla po džemovom zadku.

PLESK!

„AU!"

Pilot sa dotackal k vzducholodi a namieril na Bohuša. Ten dvihol ruky nad hlavu a pustil vzducholoď. Začala stúpať. Pilot schmatol lano, čo z nej viselo.

„NEDOVOĽ MU UTIECŤ, SYNAK!" zrevala stará mama.

No pilot unikal a Bohuš tomu už nedokázal zabrániť.

„VŠETKÝCH VÁS NAHLÁSIM VODCOVI!" To boli jeho posledné slová, než zmizol medzi oblakmi.

„TATULIENKO! ZASTAV *KLOBÁSU!*" zvolala Bela.

CINK!

Bohušovi svitlo. Čo by spravil, keby stál zoči-voči obrej klobáse? Odhryzol by si z nej! A presne to aj spravil. Vyskočil do vzduchu a zahryzol do *Klobásy.*

CHRUM!

Vzduch z nej unikal tak rýchlo, že vystrelila ako raketa.

VZZZUM!

„POMOC!" kričal pilot.

Zubami-nechtami sa držal vzducholode, ktorá bláznivo križovala oblohu.

Doľava.

Doprava.

Hore.

Dole.

Cikcakovito.

Dole hlavou.

Vzduch unikajúci zo vzducholode spravil nechutný zvuk. Znelo to ako najdlhší a najhlasnejší PRD na svete!

PRRRRRRRD!

Klobása sa rútila do vesmíru.

VZZZUM!

„HURÁ!" jasali dedinčania.

Vikár sa obrátil k zhromaždeniu.

„BABRÁKOVCI NÁS ZACHRÁNILI! ZAVO-
LAJME IM NA SLÁVU! HIP! HIP!"

„HURÁ!"

„HIP! HIP!"

„HURÁ!"

„HIP! HIP!"

„HURÁ!"

Babrákovci žiarili šťastím. Prvýkrát v živote sa cítili
ako víťazi.

„ŠKREK!" ozval sa Cecil a s komorníkom na chrbte
sa rozbehol k nim. Pritom narážal do dedinčanov.

„UF!"

„JOJ!"

„OCH!" kričali, zatiaľ čo vyletovali do vzduchu.

„VÝBORNÁ PRÁCIČKA, CECIL!" vyhlásila
stará mama a potľapkala ho po hlave. „AJ TY SI SA
POCHLAPIL, KOMORNÍK!" dodala a tiež ho po-
tľapkala.

Vtom sa objavil vikár s malým pohárom džemu.

„Veľký pohár už nemáme, no prijmite, prosím, ten-
to malý džem ako symbol našej vďačnosti!"

„Ale veď sme podvádzali," hlesol Bohuš.

„Možno ste nevyhrali súťaž o najväčšiu dyňu, ale svojou odvahou ste vyhrali naše srdcia."

„Ďakujeme, vikár. Napokon, budúci rok sa môžeme zapojiť znova!

„V žiadnom prípade," odbil ho vikár. „Udeľujem Babrákovcom doživotný zákaz súťaženia."

„Ach!"

Komorníkovo
záhadné zmiznutie

„KOMORNÍK!" volal Bohuš. „KOMORNÍK!"

Jeho hlas sa niesol Babrákovským panstvom. Komorník bol verný služobník. U Babrákovcov slúžil desiatky rokov, a za ten čas si nevzal ani jediný deň voľna. Bol ako člen rodiny, len s iným priezviskom. Len čo ho zavolali, vyskočil a vrhol sa do práce. Presnejšie povedané, odkrivkal do práce.

Preto bolo nanajvýš čudné, že v to ráno po ňom nebolo ani pamiatky. Bohuš naňho zakričal ešte aspoň tristokrát. Napokon to vzdal.

„KOMORNÍK!"

Tak predsa, tristojeden!

Babrákovci nevynikali v šikovnosti, a tak boli bez komorníka stratení. Bohuš zúfalo potreboval jeho po-

moc. Bol to skutočne NALIEHAVÝ PRÍPAD! NA-
LIEHAVÝ NOHAVICOVÝ PRÍPAD! Musí ti byť
jasné, že situácia bola vážna.

Bohuš presnoril každý centimeter Babrákovského
panstva. Hľadal:

- Za vankúšmi na gauči.
- V gramofóne.
- Pod kobercom.
- V komíne.
- V príborníku.
- V hrncoch a panviciach.
- Pod popolníkom.
- A dokonca i vo vreckách kabáta.

„Človek nikdy nevie," mrmlal si popod nos. „Mož-
no sa zrazil v práčke!"

Hoci prehľadal i tie najčudnejšie miesta, komorníka
nebolo. Napokon zvolal rodinu do salóna, aby mu po-
mohli objasniť komorníkovo mysteriózne zmiznutie.
„BABRÁKOVCI! POĎTE VŠET-
CI SEM!"

Komorník chýbal všetkým, no najviac nad jeho stratou trúchlil Bohuš.

„Ráno som stratil gombík na nohaviciach! A potom som stratil nohavice!" zvolal, stojac uprostred salóna v spodkoch.

„Dúfam, že ich nezožral Pegas," ozvala sa Bianka. „Vôbec by som sa mu nečudovala! Odkedy komorník zmizol, nemá nám kto spraviť raňajky. Celý deň som nič nejedla, a to už je takmer desať hodín ráno!"

„Neviem, čo spravím, ak mi nepozbiera špinavé ponožky zo zeme! UÉÉÉ! UÉÉÉ! UÉÉÉ!" nariekala Bela a pokropila rodinu slzami.

„Budem rád, ak túto starú barabizňu už nikdy nikto neuprace," ozval sa Bonifác. „Vždy som túžil žiť v chlieve!"

Všetky oči sa obrátili k nemu. Ufúľanec!

Posledný, kto videl komorníka živého, bola stará mama.

„Dnes ráno som ho požiadala, aby vyupratoval Babrákovské panstvo od povaly až po pivnicu. Vzal si kefu a odišiel. Odvtedy som ho nevidela. Čo sa s ním mohlo stať?"

Babrákovci chrlili nápady jeden za druhým.

„Uniesla ho armáda mravcov."

„Kýchol si tak silno, že vyletel z okna."

„Napustil si horúci kúpeľ, rozpustil sa v ňom ako zmrzlina a zmizol v odtoku."

„Spadol do praskliny v dlaždiciach."

„Hľadal na gauči zapatrošené mince, spadol medzi epedy a nevie sa dostať von."

„Zomrel a sám sa pochoval v záhrade, aby nám nebol na príťaž."

Nič z toho sa však na komorníka nepodobalo.

Stará mama bola čoraz podráždenejšia. Vzala mušketu a vypálila ranu do stropu.

PIF! PAF!

Zatiaľ čo sa na zemi usádzal prach a omietka, obrátila sa k ostatným:

„BABRÁKOVCI! OSUD NÁM ROZDAL PRÍŠERNÉ KARTY!

Komorník je nezvestný už viac ako hodinu. Musíme ťahať za jeden povraz, aby sme zabezpečili plynulý chod domácnosti! Nezostáva nám iné, než spraviť to, čo Babrákovci nerobili po stáročia!" Urobila dramatickú pauzu. „Budeme *makať!*"

PIF! PAF! PUF!

„Mamulienka?"

„Áno, Bohumil?"

„Keď strieľaš do steny, robíš tu ešte väčší neporiadok."

„KRAVINA!"

PIF! PAF! PUF! PIF!

PAF! PUF! PIF!

„ÁÁÁÁÁÁÁÁÁÁÁÁÁÁÁÁÁÁÁÁÁCH!" zvolal Bohuš.

Práve utieral prach na policiach Cecilovým zad-
kom...

„ŠKREK!"

... keď si na niečo spomenul. Na niečo dôležité!

„Čo sa deje, drahý?" spýtala sa ho manželka,
klusajúc na neviditeľnom koni.

„Úplne som zabudol!"

„Voláš sa Bohuš Babrák. Žiješ na Babrákovskom
panstve..."

„ÁNO! ÁNO! ÁNO! To si zatiaľ pamätám. No
takmer som zabudol na čosi iné. Onedlho k nám príde
autobus plný turistov."

„Prečo?"

„Otvoril som naše panstvo pre verejnosť."

„Naozaj?!"

„Áno."

„A vôbec ti nenapadlo povedať mi o tom?"

„Zabudol som!"

„Prečo si to urobil? Toto je náš domov, nie nejaké múzeum!"

„Viem, no potrebujeme peniaze. Už nám nezostáva veľa času. Muž z banky sa vráti o dva týždne a urobí z Babrákovského panstva prekliatu Babrákovskú polepšovňu!"

B R M !   B R M !

Blížil sa autobus.

„ŠKREK!" ozval sa Cecil, aby ich upozornil na zvuk zvonka.

„Len to nie!" zaúpela Bianka. V bruchu jej nahlas zabublalo.

BLUBLUBLUBLU!

„Čo to bolo?" divil sa Bohuš.

„Vieš predsa, že vždy, keď som nervózna, dostanem záchvat prdenia!"

„Ach jaj! Ty moje chúďatko! A my, čo musíme ňuchať tvoje prdy, tiež. No teraz niet času na malichernosti. Babrákovské panstvo musí byť ako zo škatuľky!"

„To sa nám nepodarí, drahý!"

„Inú možnosť nemáme. Ak mám byť úprimný, trochu som ich oklamal."

„Koho?"

„Turistov. Aby som ich prilákal. Telefonoval som s jedným milým pánom z Nórska a povedal som mu, že naše panstvo je kráľovský palác."

„Och, nie!"

„To ešte nic je to najhoršie."

„Čože?!"

„Vymyslel som si ešte väčšiu koninu."

„AKÚ?!"

„ŠKREK!" ozval sa Cecil.

„Že nie sme Babrákovci..."

„Nie?"

„Nie. V skutočnosti sme... KRÁĽOVSKÁ RODINA!"

KLOP! KLOP! KLOP!

BLUBLIBLABLUBLI! zaskučal Biankin žalúdok.

III

GLUGLUGLU!

„To bolo znova moje brucho, drahý," vzdychla si Bianka. „Pohľadaj si nohavice a choď otvoriť dvere. Ja zatiaľ poviem ostatným, čo sa deje. Veľa šťastia! Budeš ho potrebovať."

„Ďakujem, miláčik."

KLOP! KLOP! KLOP!

Bianka odcupkala bokom ako krab, zvierajúc polky zadku, aby zabránila katastrofe.

KLOP! KLOP! KLOP! KLOP! KLOP! KLOP! KLOP! KLOP! KLOP!

Na nohavice nebol čas. Bohuš sa rozbehol k dverám a otvoril ich dokorán. Vonku stála veľká skupina turistov z Nórska. Muži boli urastení s hustými svetlými bradami. Ženy boli tiež vysoké a mali dlhé blond vlasy. V žilách im akiste prúdila VIKINSKÁ KRV.

„Dobrý deň! Som kráľovná!" vykoktal Bohuš oblečený len v spodkoch. „Teda vlastne kráľ! Vitajte v mojom honosnom paláci!"

„Prečo nemáte nohavice?" spýtal sa najvyšší a najbradatejší muž so silným nórskym prízvukom. Očividne to bol vedúci skupiny.

„Nuž, viete..."

„Čakáme!"

„Chcel som, aby táto prehliadka bola výnimočná. No uznajte – videli ste už kráľa v spodkoch?"

Všetci potriasli hlavami.

„Tak vidíte! Prosím, najprv zaplaťte vstupné jednu kráľovskú libru za každého návštevníka."

„NIE!" povedal vedúci.

„Nie?"

„Zaplatíme na konci prehliadky. Chceme si byť istí, že je to skutočný kráľovský palác, ako ste mi sľúbili v telefóne!"

Bohuš preglgol.

„Jasná vec!"

Nemal ani najmenšiu chuť hádať sa s tým urasteným mužom a jeho zarastenou bradou.

„Ak ste naozaj kráľ, prečo za vás dvere neotvára komorník?" spýtal sa ďalší.

„Nuž, ehm... totiž..."

„Áno?!"

„Žiaľ, kráľovského komorníka dnes ráno zožral jazvec."

„To nám je veľmi ľúto," vyhlásila jedna zo žien.

„Nuž, taký je život. Teda vlastne smrť. Nech sa páči, vstúpte do nášho kráľovského paláca!"

Skupina vpochodovala na panstvo. Na nikoho nespravilo dojem kráľovstva.

„JE TU ZIMA."

„VLHKO."

„PRACH."

„ŠPINA."

„A SMRAD!"

„To budú moje kráľovské spodky," odvetil Bohuš. „Už týždeň sa neprali. Prosím, poďte za mnou! Začína sa naša kráľovská prehliadka! GLG!"

Zvyšok rodiny bol v knižnici a snažil sa stráviť nezvyčajné novinky.

„TO BUDE HRAČKA!" zvolala stará mama.

„V porovnaní s Babrákovcami je kráľovská rodina obyčajná zberba."

„Vždy som túžila byť princeznou," zaštebotala Bela.

„Keď sme teraz králi, môžeme uväzniť našich nepriateľov v londýnskom Toweri?" spýtal sa Bonifác. Namieril prst na svoju sestru. „Stráže! Odveďte ju!"

„Deti, ocko práve sprevádza turistov po Babrákovskom panstve. Budú tu každú chvíľu, tak buďte pripravené zažiariť! Nezabudnite, máte kráľovskú krv!"

BLUGLUFLUMLU!

„Čo to, prepánakráľa, bolo?!" zvolala stará mama.

„Nič, nič!" zahovárala Bianka. „Za mnou, Babrákovci! Ak nám to vyjde, budú z nás boháči a zachránime naše panstvo!"

225

„HURÁ!"

GUBRUBLURBULGULMULFUL!

„Nevyzeráte ako kráľ," poznamenala vysoká žena týčiaca sa nad Bohušom. „Videla som jeho fotku v novinách."

„Nuž, keď si plním oficiálne kráľovské povinnosti, chodím v prestrojení. Aby ma nikto nespoznal."

Nórski turisti naňho zmätene zízali.

„TADIAĽTO!" zvolal. „Začnime v trónnej sále."

Kráčali dlhou chodbou priamo k záchodu.

„TA-DÁ!" zanôtil a otvoril dvere dokorán.

„To je predsa záchod!" ozvala sa žena, čo stála najbližšie.

„Nie! Nie! Nie! Je to môj najnovší vynález, ZÁCHODOVÝ TRÓN!"

„ZÁCHODOVÝ TRÓN?"

„Áno! My králi sme veľmi zaneprázdnení ľudia. Občas nám nezostane iné, než otvárať zasadnutie parlamentu a zároveň kakať!"

Nezdalo sa, že by mu niekto uveril, a tak radšej rýchlo pokračoval v prehliadke.

„Kto sa chce zoznámiť s kráľovnou?"

Podobne ako mnohí vznešení trkvasi, i Bianka mala v skrini plesové róby a korunky. Keď Bohuš otvoril dvere, privítala turistov v celej svojej nádhere.

BRUMFURPŠTROSFURVURGLUGLOPRD!

ozval sa jej žalúdok.

„Vaše veličenstvo, vaša kráľovská výsosť!" oslovil ju.

„Áno, vaše veličenstvo, vaša najjasnejšia superkráľovská výsosť?" odvetila.

„Rád by som vám predstavil našu ctenú návštevu priamo zo Švédska!"

„NÓRSKA!"

„Nórska!"

Všetci zízali na podvodníčku, ktorá sa na kráľovnú podobala asi tak ako bradatý vedúci skupiny.

„Je mi veľkým potešením," povedala Bianka.

„Rád vás konečne spoznávam," odvetil Bohuš.

Nóri si čosi hundrali popod nos. NEČUDO! Ako by sa kráľ mohol práve zoznámiť s kráľovnou? Museli sa predsa stretnúť na svojej svadbe!

SOMARINA! PODFUK! SOMAROFUK!

Bohuš sa svojej žene uklonil. I ona vystrúhala elegantnú poklonu. A presne v tej chvíli sa nočná mora stala skutočnosťou. Jej zadok vypustil ten NAJHLASNEJŠÍ PRD NA SVETE!

BUMBÁC!

Turisti boli zdesení. Smrad bol taký toxický, že bradatý silák stratil vedomie a zosunul sa k zemi.

TRESK!

„HUPS!" hlesla Bianka a očervenela ako paprika.

„A teraz mám tú česť predstaviť vám naše rozkošné kráľovské deti," slávnostne vyhlásil Bohuš, zatiaľ čo viedol návštevu do detskej izby. „Dámy a páni, zoznámte sa s princom a princeznou!" zvolal a širokým gestom otvoril dvere.

V izbe sa odohrávala scéna ako z hororu. Ufúľaný Bonifác jazdil na Cecilovi. V ruke zvieral hlavu sestrinej bábiky a rehotal sa na plné ústa.

„HA! HA! NECHYTÍŠ MA!"

Bela mala na sebe šaty pre družičku a na hlave hračkársku korunu. Vyzerala ako ozajstná princezná, no vôbec sa tak nesprávala. Stála na hromade kníh a snažila sa chytiť brata do lasa, čo si vyrobila zo švihadla.

„DOSTANEM ŤA, TY TCHOR!" vrešťala.

„PRINC! PRINCEZNÁ! OKAMŽITE PRESTAŇTE!" okríkol ich Bohuš.

Deti si ho ako zvyčajne nevšímali. Bela omylom chytila do lasa bradu jedného z návštevníkov.

„AU!" zrúkol od bolesti.

Zdvihla ho zo zeme a roztočila nad hlavou.

V Z Z Z Z Z U M !

Muž sa zrazil s Bonifácom a Cecilom.

TRESK!

„AUVAJS!"

„ŠKREK!"

Chlapec sa rútil k turistom ako bowlingová guľa.

BÁCH!

Zrazil ich k zemi ako kolky.

BUM!

„AU!"

BUM!

„JOJ!"

BUM!

„AU!"

Tých, čo nezhodil Bonifác, zmietol na zem „lietajúci“ pštros.

ŠVÁC!

„NIÉÉÉÉ!“

Tých, čo nezhodil Bonifác, ani nezmietol pštros, udrel ich muž, čo sa chytil do lasa.

TRESK!

„ÁÁÁÁU!“

Tých, čo nezhodil Bonifác, nezmietol pštros, ani neudrel muž, čo sa chytil do lasa, zrazila ich na zem Bela, ktorá sa chytila do druhého konca lasa.

PRÁSK!

„UF!“

Všetci ležali na hromade. Bohuš bol úplne naspodku. Statní Nóri mu drvili kosti.

„Ďakujem za nezabudnuteľné predstavenie, drahé kráľovské deti,“ hlesol. „Je načase zoznámiť sa s kráľovnou matkou.“

Keď sa nórski turisti pozbierali zo zeme a trochu sa spamätali, Bohuš ich zaviedol do študovne starej mamy.

Z gramofónu znela anglická hymna. Stará mama spievala s ním.

„Bože, ochraňuj nášho láskavého kráľa!
Nech žije náš vznešený kráľ!
Bože, ochraňuj nášho kráľa!"

Bohuš načúval za dverami.

„Zasa spievajú o mne," povedal a potiahol kľučku. „Dámy a páni, predstavujem vám kráľovnú matku!"

Otvoril dvere a odhalil veľkolepú scénu. Stará mama sedela uprostred izby. Oplývala vznešenosťou.

KORUNA Z KARTÓNU
(KORUNA)

MUCHOLAPKA
(ŽEZLO)

KRIKETOVÁ
LOPTIČKA
(JABLKO)

HODVÁBNE ZÁVESY
(PLÁŠŤ)

JEDÁLENSKÁ
STOLIČKA S TROMA
NOHAMI (TRÓN)

„Pozdravujem vás, vaša kráľovská výsosť, kráľovná matka! To som ja, váš kráľovský syn, pán kráľ!" vyhlásil Bohuš. „Smiem spolu s platiacimi turistami vstúpiť do vašej vzácnej kráľovskej komnaty?"

„Môžete, vaše veličenstvo!" odvetila najvznešenejším tónom, na aký sa zmohla.

Stará mama bola jediným členom rodiny, ktorý sa úlohy kráľovnej zhostil s úplnou samozrejmosťou. Návštevníkov si ihneď omotala okolo prsta. Ako na povel sklonili hlavy.

„Dúfam, že návšteva kráľovského paláca prebieha podľa vašich predstáv," povedala.

„Teraz už áno, vaša výsosť," odvetil vedúci skupiny.

„Počujem cudzí prízvuk?"

„Nórsky, madam."

„Merali sme sem cestu až z Nórska, len aby sme navštívili váš kráľovský palác."

Stará mama sa zrazu zamračila. Oči jej potemneli.

„PRIŠLI STE SEM NA DLHEJ LODI?"

„Áno, bola dosť dlhá, madam."

„NA VIKINSKEJ LODI?"

Turisti sa rozosmiali. Bohuš sa nervózne uškrnul. Toto však NEBOL VTIP. Stará mama roztrhla svoju korunu a odhodila plášť zo závesov. Potom šmarila jablko a žezlo cez celú miestnosť.

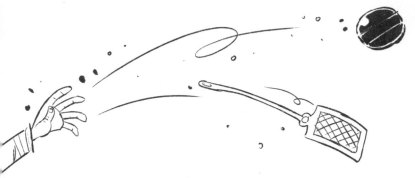

„ODPORNÍ VIKINGOVIA! ČAKALI STE TISÍC ROKOV, ABY STE NA NÁS ZNENA-ZDAJKY ZAÚTOČILI! A TERAZ CHCETE VYPLIENIŤ NÁŠ DOMOV! BABRÁKOVCI! PRIPRAVTE SA NA PROTIÚTOK!"

„MAMULIENKÁÁÁÁÁ! NIÉÉÉÉÉ!" zreval Bohuš.

Stará mama bola nezastaviteľná.

„CHOĎ MI Z CESTY, SOPLIAK!" zvolala.

Postavila sa a natiahla sa po svoju mušketu.

„VIKINGOVIA! PRIPRAVTE SA NA BITKU SVOJHO ŽIVOTA!"

VII

„NIE SME ŽIADNI VIKINGOVIA!" durdil sa jeden z návštevníkov.

„VYZERÁTE AKO VIKINGOVIA! ROZPRÁVATE AKO VIKINGOVIA! *STE* VIKINGOVIA!" zahrmela stará mama.

Dvihla mušketu a vypálila zopár rán nad hlavu.

PIF! PAF!

„ÁÁÁÁ!" kričali vystrašení návštevníci.

„OCH! NEBOJTE SA KRÁĽOVNEJ! OBČAS SI Z ĽUDÍ STRIEĽA!" kričal Bohuš.

BUM! BUM! BUM!

Turisti vzali nohy na plecia.

„NIÉÉÉ!"

Ako o život trielili dolu schodmi a vybehli von.

„UNIKAJÚ NÁM!" zrevala stará mama. „BABRÁKOVCI!"

„Čo zas?" povzdychla si Bianka.

„NA STRECHU!"

„MAMULIENKA! PROSÍM, NIE!" modlikal Bohuš.

Stará mama si ho nevšímala a odpochodovala hore schodmi. Zvyšok rodiny jej bol v pätách.

Zo strechy Babrákovského panstva sledovali dramatickú scénu.

Návštevníci bežali popri autobuse uháňajúcom po

príjazdovej ceste a snažili sa doň naskočiť. Naboku autobusu sa skvel nápis VIKINSKÉ ZÁJAZDY.

Samozrejme, bol to len vtipný názov nórskej cestovnej agentúry, no stará mama to videla inak.

„VIKINGOVIA! VEDELA SOM TO!"

Chcela vypáliť ďalšiu strelu, no mušketa naprázdno klikla.

KLIK! KLIK! KLIK!

„TO JE ALE SMOLA!" hromžila.

„Stavím sa, že oni si to nemyslia," poznamenal Bohuš.

„DELO!" zvolala a rozbehla sa k nemu.

Babrákovci utekali za ňou. Vtom sa odniekiaľ ozval hlas.

„POMOC! ZASEKOL SOM SA TU!"

„Čo to bolo?" obzeral sa Bonifác.

„Znelo to ako komorník!" povedala Bela.

„Nič nepočujem," odvrkla stará mama. „No naši vikinskí dobyvatelia o chvíľu čosi začujú! HA! HA!"

S tými slovami namierila delo, zapálila rozbušku a...

BÁCH!

... namiesto delovej gule z neho vyletel komorník!

„POMÓÓÓÓÓÓÓÓC!"

Úbohý starec, od sadzí čierny ako kominár, letel vzduchom. V ruke zvieral kefu.

VUŠŠŠŠŠ!

Stará mama mala presnú mušku, a tak pristál priamo na streche autobusu.

ŽUCH!

Zatiaľ čo autobus mizol v diaľke, stará mama za ním kričala:

„KOMORNÍK! OKAMŽITE SA VRÁŤ! EŠTE SI NEVYČISTIL DELO!"

ÚŽASNÉ DOBRODRUŽSTVO POD VODOU

BRINK! BRINK! **BRINK!**

Na druhý deň ráno zobudil Babrákovcov čudný zvuk.

BRINK! BRINK! **BRINK!**

Čosi v dome *brinkalo*.

BRINK! BRINK! **BRINK!**

Ten zvuk bol taký otravný, že nedovolil Babrákovcom jasne premýšľať. Pravdupovediac, myslenie nikdy nepatrilo medzi ich silné stránky. A jasné myslenie už vôbec. No vďaka neustálemu BRINK! BRINK! **BRINK!** nedokázal myslieť NIK! NIK! **NIK!**

Bolo treba okamžite zistiť, odkiaľ ten zvuk prichádza! Po miliióntom BRINK mal už toho Bohuš naozaj po krk. Zvolal rodinnú poradu v knižnici.

„BABRÁKOVCI! POĎTE VŠETCI SEM!"

Komorník mal plné ruky práce. Práve podával čaj a keksík. (V škatuli zostal posledný.)

BRINK! BRINK! **BRINK!**

Zatiaľ čo brinkanie veselo brinkalo ďalej, Bohuš vyhlásil:

„BABRÁKOVCI! Iste ste si všimli, že v dome počuť brinkanie."

„BOHUMIL! AKO SA TO VYJADRUJEŠ?!" zahrmela stará mama.

„Povedal som *brinkanie!*"

„A TERAZ ZNOVA!"

Bohuš na ňu nechápavo zízal.

Bela sa vrhla na keksík a rýchlo ho zhltla, aby sa nemusela deliť s bratom.

„CHA! CHA!" rehnila sa škodoradostnc. Z úst jej odfrkávali omrvinky.

Bonifác ju s úškrnom pozoroval.

„Prečo nie si naštvaný?" divila sa.

„Onedlho na to prídeš."

„Blé! Ten keksík má akúsi divnú chuť! Slivkovú!"

„HA! HA!" chichúňal sa Bonifác s rukami za chrbtom.

„Čo to tam máš?" chcela vedieť Bela.

„Nič!"

„Niečo schovávaš!"

„Neschovávam!"

„Daj mi to!" skríkla a vytrhla mu tú vec z ruky. „Moje švihadlo! Čo si s ním robil?"

„Nič!"

„Deti, prosím vás! Musíme zastaviť to brinkanie!" prerušil ich Bohuš.

„My s Pegasom ho tiež počujeme," vyhlásila Bianka a potľapkala neviditeľného koňa.

„Tupá ako tágo," zahundrala stará mama.

„Musíme pohnúť rozumom," vyhlásil Bohuš. „To *brinkanie* znie ako kvapkanie vody."

„Tatko, si génius!" vyhlásil sarkasticky Bonifác.

„To je od teba milé, ďakujem!" odvetil Bohuš, ktorý sarkazmu ani zamak nerozumel. „Zostáva už len zistiť, odkiaľ ten zvuk prichádza. Deti, prehľadajte kúpeľne a spálne! Moja najdrahšia ženuška?"

„Áno, môj najmilovanejší z milovaných?"

Bonifác sa zatváril, že bude vracať.

„BLÉÉÉ!"

„Prehľadáš všetky miestnosti na tomto poschodí. Kuchyňu, jedáleň, tanečnú sálu, salón a toaletu. Mama?"

„Čo potrebuješ, chlapče?"

„Ty prehľadáš podkrovie. A kde je Bohuš? BOHUŠ! Hups! To som predsa ja. Ja hlupák! Budem hľadať v pivnici."

„Mohol by som niečo poznamenať?" ozval sa komorník.

„PREPÁNAJÁNA, TAK UŽ TO POVEDZ, ČLOVEČE! NEMÁME NA TO CELÝ DEŇ!" zahrmela stará mama.

„Mohol by to byť kvapkajúci kohútik. Ak chcete, zavolám opravára."

„OPRAVÁRA? *OPRAVÁRA?*" hulákala. „BABRÁKOVCI NIKDY V ŽIVOTE NEPOTREBOVALI OPRAVÁRA, A TAK TO AJ ZOSTANE! JEDINÉ, ČO POTREBUJEME, JE TOTO!"

Hrdo vytasila mušketu a pobrala sa hore schodmi zostreliť to otravné BRINK.

„DO BOJA!" zavelila.

II

BRINK! BRINK! BRINK!

Bela s Bonifácom sa rozhodli začať v kúpeľni. Bolo pravdepodobné, že kvapkanic prichádza odtiaľ. Voda však nekvapkala ani z kohútika, ani z trubiek, dokonca ani zo sprchy. V miestnosti sa napriek tomu ozývalo vytrvalé BRINK! BRINK! BRINK!

Jediná zaujímavosť, ktorú Bonifác objavil, bol obrovitánsky pavúk lezúci z odtoku. Jeho sestra pavúky neznášala. Keď sa zohla, aby preskúmala umývadlo, neváhal ani chvíľu. Zobral pavúka, po špičkách sa priplichtil k nej a opatrne jej ho položil na chrbát. Každú chvíľu zvrieskne tak, že sa zatrasú steny! Bonifác sledoval pavúka, ktorý pomaly liezol po Belinom zadku.

„CHI! CHI!" chichúňal sa.

Ak bude mať šťastie, uhryzne ju do zadku!

Nikomu by však ani vo sne nenapadlo, čo sa stane ďalej. Dokonca ani mne, čo celý tento príbeh vymýšľam!

Spomínaš si na keksík, čo Bela zjedla? Jej brat ho namočil do PRDÓZNEHO slivkového džúsu. Preto mal takú zvláštnu chuť. Chlapec si bol istý, že výsledok bude stáť za to. A mal pravdu.

Bela na rozdiel od svojej mamy nemala problém udržať vetry, no tentoraz to poriadne odpálila!

TÚÚÚÚT!

Sila výbuchu vystrelila pavúka cez celú miestnosť.

V U Š Š Š Š Š Š!

Bonifác od údivu otvoril ústa dokorán a pavúk vletel dnu.

ZÁSAH!

Pristál mu až kdesi v krku. Chlapec preglgol.

GLG!

Pavúk mu zmizol v žalúdku.

„Pardon," ospravedlnila sa Bela a otočila sa k bratovi. Stál tam ako socha s čudným výrazom v tvári. Oči mu vyliezali z jamiek.

„Čo tam stojíš ako soľný stĺp? Poď mi pomôcť!"

„*TY* MI POMÔŽ!" zaúpel. „PRÁVE SOM PRE-HLTOL OBROVSKÉHO PAVÚKA!"

„Už si zjedol aj horšie veci."

„Cítim, ako mi lozí v bruchu!"

„Čo mám robiť?"

„Chyť ma hore nohami a vytras ho zo mňa!"

„S RADOSŤOU!" odvetila so zlomyseľným úškrnom.

Schmatla ho za členky a triasla ním ako o život.

„OCH! OCH! OCH!" skuvíňal chlapec. „Nechce vyjsť!"

„Skúsim to inak!" zvolala.

Oči jej žiarili nadšením, keď ho roztočila vo vzduchu. Najskôr pomaly, no postupne nabrala obrátky. Točil sa čoraz rýchlejšie. A rýchlejšie! A RÝCHLEJŠIE!

FÍÍÍÍÍ!

„Už vyliezol?"

„NIE!"

Viac jej nebolo treba. Roztočila ho ešte rýchlejšie.

FÍÍÍÍÍÍÍÍÍÍÍÍÍÍ!

Bela odrazu pocítila, že stráca kontrolu. Nohy sa jej odlepili od zeme.

„NIÉÉÉÉ!" zajačala.

No už bolo neskoro.

Súrodenci sa točili po kúpeľni ako vrtuľa.

FJJÚÚÚÚÚÚÚÚÚÚÚÚÚÚÚÚÚÚÚ!

Bonifác sa chytil záchodovej dosky, aby spomalil.

No namiesto toho ju vytrhol.

ŠKLB!

Pri ďalšej otočke doska narazila do záchodovej
misy.

TRESK!

Misa praskla...

PUK!

... a deti pristáli vo vani.

ŽUCH!

„UF!"

„AU!"

S hrôzou hľadeli na prasklinu, čo sa šírila po zácho-dovej mise. Pripomínala rozvetvený blesk.

PUK! CHRUP!

Chvíľu bolo ticho a potom sa misa ROZLETELA NA KUSY!

PRÁSK!

Z diery v podlahe vytryskla voda ako gejzír.

ŠPLECH!

Onedlho bolo v kúpeľni toľko vody, že vaňa začala plávať.

„NIÉÉÉÉÉ!" nariekala Bela.

„ŠPICA!" zvýskol Bonifác.

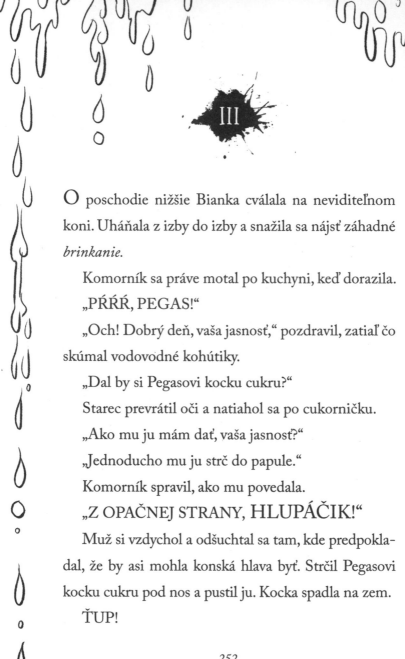

III

O poschodie nižšie Bianka cválala na neviditeľnom koni. Uháňala z izby do izby a snažila sa nájsť záhadné *brinkanie.*

Komorník sa práve motal po kuchyni, keď dorazila.

„PŔŔŔ, PEGAS!"

„Och! Dobrý deň, vaša jasnosť," pozdravil, zatiaľ čo skúmal vodovodné kohútiky.

„Dal by si Pegasovi kocku cukru?"

Starec prevrátil oči a natiahol sa po cukorničku.

„Ako mu ju mám dať, vaša jasnosť?"

„Jednoducho mu ju strč do papule."

Komorník spravil, ako mu povedala.

„Z OPAČNEJ STRANY, HLUPÁČIK!"

Muž si vzdychol a odšuchtal sa tam, kde predpokladal, že by asi mohla konská hlava byť. Strčil Pegasovi kocku cukru pod nos a pustil ju. Kocka spadla na zem.

ŤUP!

„MÁŠ TY ALE DERAVÉ RUKY!" zvolala Bianka. „Zistil si, či to kvapkanie prichádza z kuchyne?"

„Vyzerá to tak, že nie."

„Stále však počujem BRINK! BRINK! BRINK!"

„Ja tiež."

BRINK! BRINK! BRINK!

Voda začala presakovať z kúpeľne do kuchyne.

„POZRI!" zvolala Bianka.

„Preboha!"

„Je to len voda, Pegas. Nebuď taký strachopud!"

Vymyslený kôň sa musel splašiť, pretože Bianka poskakovala hore-dolu.

„POKOJ! DOBRÝ KONÍK! KOMORNÍK, POMOC!"

„Čo mám robiť?"

„CHYŤ OPRATY, ČLOVEČE!"

Načiahol sa, aby schmatol vzduch, no bolo neskoro. Bianka urobila premet vo vzduchu. Preletela cez kuchyňu a s hlasným BUCH pristála v umývadle. Pod jej váhou sa odtrhlo zo steny.

KLANK!

„NIE!" zaúpel komorník.

Šuchtal sa k nemu ako najrýchlejšie vedel.
No kým ho stihol chytiť, spadlo a rozbilo sa na
tisíc kúskov.

TRESK!

Z potrubia začala striekať voda.

ŠPLECH!

Komorník sa snažil zastaviť prívod vody, no prúd ho
poslal kadeľahšie.

ŠPĽACH!

Onedlho bolo v kuchyni vody po kolená.

„Zlý kôň!" zahundrala premočená Bianka.

IV

Bohuš kráčal dolu kamennými schodmi do pivnice. Tu, v podzemí, kde vynašiel všetky svoje vynálezy, sa hadilo široké potrubie. Splašky z Babrákovského panstva ním prúdili do zeme.

Temnotou sa ozývalo brinkanie.

BRINK! BRINK! BRINK!

Bohuš chodil hore-dolu a skúmal zákutia pivnice ako pravý detektív. Pod nohou mu čosi ZA-CHRUPČALO. Bola to tenisová raketa, čo dávno stratil. Teraz bola zlomená.

„Tak tu si sa celý čas skrývala!"

Babrákovci mali len jednu tenisovú raketu, čo poriadne komplikovalo hru. Jeden hráč odrazil loptičku...

PINK!

... a rozbehol sa k sieti, aby podal raketu svojmu protihráčovi. Ten odrazil loptičku späť.

PINK!

A tak ďalej, a tak ďalej.

Ach, takmer by som zabudol! Hralo sa
s kriketovou loptičkou. Bohuš nazval túto
hru „krinis". Rovnako ako jeho ostatné vynálezy, bola
odsúdená na neúspech. Tápajúc v tme o čosi zakopol.
Gúľalo sa to po podlahe.

GÚĽ!

„Moja loptička!" zvolal. „Je načasc stať sa šampió-
nom v krinise!"

Z celej sily ju hodil o stenu...

B U C H !

... loptička narazila do potrubia...

ŠVÁC!

... a urobila doň dieru.

Voda sa okamžite začala

valiť von.

ŠPLECH!

„Hups!"

Veru tak, hups! O pár sekúnd mu siahala po kole-
ná. Akoby katastrof nebolo dosť, na hlavu mu začala
kvapkať voda.

KVAP! KVAP! KVAP!

Prekvapkaný Bohuš sa schoval pod raketu, akoby to bol dáždnik. Na jeho veľkú smolu voda poľahky prešla cez výplet.

„Dokelu!"

Vtom sa kvapkanie zmenilo na prietrž.

ŠPĽACH!

Voda z kuchyne sa valila do pivnice. Bohušovi už siahala po pás. Strop začal praskať...

PRASK!

... až sa napokon preboril!

BUM

Bianka spolu s komorníkom a umývadlom sa prepadli do pivnice a čľupli do vody.

ČĽUP!

Umývadlo kleslo pod hladinu, no Bianka a komorník sa našťastie vynorili.

„Perfektný deň na plávanie!" zaševelil Bohuš.

„Netušila som, že máme v pivnici bazén," poznamenala jeho žena.

„Ehm," ozval sa komorník s pohľadom upretým na

dieru v strope. Podlaha v kúpeľni nad kuchyňou sa pre-
hýbala pod tiažou vody. „Rád by som vašu pozornosť
upriamil na kuchynský strop.“

„Nepočká to? Práve sa zdokonaľujem v plávaní mo-
týlika.“

„Máme tu aj skokanský mostík?“ spýtala sa Bianka.

Strop sa preboril.

TRESKYPLESK!

Vaňa sa rútila dolu.

„VALÍ SA VAŇA!" zvolal komorník a len tak-tak odtlačil lorda s manželkou do bezpečia.

Vaňa s Bonifácom a Belou pristála v pivnici s hlas-
ným *Š P L E C H !*

„Ahoj, deti!" potešila sa mama. „Čo vás sem privá-
dza?"

„Vaňa," odvetil sucho Bonifác.

Stará mama so svojou vernou spoločníčkou mušketou medzitým v podkroví poľovala na tajomný zvuk.

BRINK! BRINK! BRINK!

Podkrovie malo nízky strop, a tak sa tam nedalo postaviť. Bolo to výborné miesto na schovávačku, ak ti nevadí hrať počupiačky.

Keď stará mama otvorila dvere, zvuk sa ozval ešte nástojčivejšie.

BRINK! BRINK! BRINK!

BINGO!

Prichádzal zhora.

BRINK! BRINK! BRINK!

Na strope bolo malé strešné okno.

BRINK! BRINK! BRINK!

Keď sa naň pozrela, zistila, že to, čo všetci považovali za kvapkanie, v skutočnosti nemalo s vodou nič spoločné.

BRINK! BRINK! BRINK!

Čosi klopalo na sklo strešného okna. To bol ten záhadný zvuk!

BRINK! BRINK! BRINK!

A vydával ho...

BRINK! BRINK! BRINK!

... PŠTROS!

Cecil klopal zobákom na okno.

BRINK! BRINK! BRINK!

Nevedel lietať, a tak zostal uväznený na streche. Chcel sa dostať späť do domu.

BRINK! BRINK! BRINK!

Keď si všimol, že cez strešné okno naňho hľadí stará mama, nervózne zamával krídlami. Chcel odletieť do bezpcčia, no nešlo to. Pštrosy nevedia lietať.

„NEBOJ SA! STARÁ MAMA JE HNEĎ PRI TEBE!" zvolala. Okno však bolo primalé, aby sa cezeň prepchal pštros, o starej mame ani nehovoriac. Vtom dostala odvážny, no nebezpečný nápad.

„CHOĎ NABOK, CECIL!"

Vták odhopkal kadeľahšie. Stará mama spravila to, čo vždy, keď sa objavil problém – VYTASILA MUŠKETU!

Ľahla si na podlahu a vypálila do strechy obrovskú dieru.

PIF! PAF! PIF! PAF! **BUM!**

Keď sa dym rozplynul, Cecil nazrel dnu. Zdola naňho hľadela stará mama.

„POĎ K STAREJ MAMIČKE!"

„ŠKREK!" zaškriekal a pokrútil hlavou. Pokiaľ mala v ruke tú vec, ani trochu jej nedôveroval.

„AKO CHCEŠ! STARÁ MAMA IDE ZA TEBOU!"

Dvihla sa zo zeme a vystrčila hlavu cez dieru v streche. Keď pštros zbadal, že drží mušketu, cúvol ku kraju strechy. Vtom sa mu šmykla noha. Jedna škridla sa uvoľnila.

KLEP!

Spadla na zem s hlasným TRESK!

„POMALY! POMALIČKY! PROTIVNÝ PŠTROS!"

Krúžili okolo seba ako tanečníci na plese. Starej mame sa už krútila hlava, a tak musela vymyslieť inú taktiku. Rozbehla sa, vyskočila a pristála na pštrosom chrbte.

HIJÓ!

Pre Cecila bola priťažká. Podlomili sa mu nohy a zrútil sa do diery aj so starou mamou na chrbte.

„ŠKREK!"

„ÁÁÁÁ!"

Spolu boli takí ťažkí, že urobili dieru v podlahe a leteli ďalej.

VUŠŠŠŠŠ!

„ŠKREK!"

Preleteli cez dieru v kúpeľni.

VUŠŠŠŠŠ!

„ŠKREK!"

Cecil sa pripravil na svoj koniec a zakryl si oči krídlami. Preleteli cez dieru v kuchynskej podlahe.

VUŠŠŠŠŠ!

„ŠKREK!"

Starej mame a Cecilovi sa zdalo, že letia celú večnosť. Nakoniec pristáli na Babrákovcoch plávajúcich vo vani.

TRESK! BÁC!

Nuž, kedysi to bývala vaňa, ale teraz slúžila ako čln.

„Vitaj v mojom vaňočlne, mamulienka!" zvolal Bohuš.

„Vaňočlne?" vyprskla.

„Áno! Je to môj najnovší geniálny vynález! Dômyselne kombinuje vyhliadkovú plavbu s osobnou hygienou. Zarobíme milióny! Vyplatíme peniaze banke a vydáme sa na plavbu okolo sveta!"

KLOP! KLOP! KLOP!

„Niekto klope. Mám otvoriť?" spýtal sa komorník.

„Nie!" zvolala stará mama. „ZOSTAŇ TU! MUSÍŠ PREDSA VESLOVAŤ!"

Starec zo všetkých síl kormidloval vaňočln pomedzi plávajúce kusy nábytku.

KLOP! KLOP! KLOP!

„OTVORTE, BABRÁKOVCI!" ozval sa hlas.

„To je muž z banky!" zvolal Bohuš.

„Zdržte ho!" nariadila stará mama.

„Sekundičku, pane! Riešime drobný problém s únikom vody."

„Nezáujem!" zrúkol muž. „Ihneď otvorte dvere! Mám tu exekútorov! Zabavíme vám všetky starožitnosti!"

„Sú rozbité na márne kúsky!"

„Tak zabavíme všetko, čo sa nerozbilo. Striebro, lustre, dokonca aj mosadzné kľučky!"

„Ako potom budeme otvárať dvere?"

„To už nie je moja starosť. Mali ste si prečítať, čo bolo v zmluve napísané malými písmenami. A teraz otvorte dvere, inak ich vyvalíme!"

KLOP! KLOP! KLOP!

Na Babrákovskom panstve bolo toľko vody, že vaňočln vyplával z pivnice na prízemie.

„To brinkanie nebol kvapkajúci kohútik ani žiadna podobná hlúposť," zavrčala stará mama. „Bol to Cecil. Klopal na strešné okno, aby sa dostal dnu. BRINK! BRINK! BRINK!"

Cecil prikývol.

„Ako sa dostal na strechu?" spýtala sa Bela.

„Možno spadol," pokrčil plecami Bohuš.

Cecil ukázal zobákom na Bonifáca.

„ŠKREK!"

Chlapec sa zaškeril.

KLOP! KLOP! KLOP!

„TO BOLA URČITE TVOJA PRÁCA, TY MALÝ SMRAĎOCH!" oborila sa naňho Bela.

„ODPÁĽ!"

„Stále nerozumiem, ako sa Cecil dostal na strechu. Pštrosy predsa nevedia lietať," poznamenal komorník.

„Pomocou Belinho švihadla som pritiahol na zem obrovský konár. Rozdrobil som naň sušienky pre pštrosy, aby som ho prilákal. Keď stúpil na konár, pustil som švihadlo a Cecil pristál na streche."

Cecil prikývol. Oči sa mu zúžili od hnevu.

„Prečo si to urobil?"

„Chcel som zistiť, či donútim pštrosa lietať."

„Keby si bol môj vnuk, prehla by som ťa cez koleno!" zahrmela stará mama.

„Ja predsa som tvoj vnuk," odvetil Bonifác.

„To je fakt. No teraz nemám čas. Prosím ťa, pripomeň mi to neskôr."

„Môžeš sa spoľahnúť," klamal chlapec.

„Ja na to nezabudnem, stará mama," dodala Bela.

KLOP! KLOP! KLOP!

„Ak vás môžem prerušiť..." ozval sa komorník.

„PRE ZMILOVANIE BOŽIE, TAK UŽ NÁM TO POVEDZ!" zrúkla stará mama.

„... podľa mňa je teraz najdôležitejšie neutopiť sa."

Hladina vody medzitým stúpla natoľko, že sa vaňočln vznášal tesne pod strechou.

Onedlho nebude úniku!

BABRÁKOVSKÉ PANSTVO POD VODOU

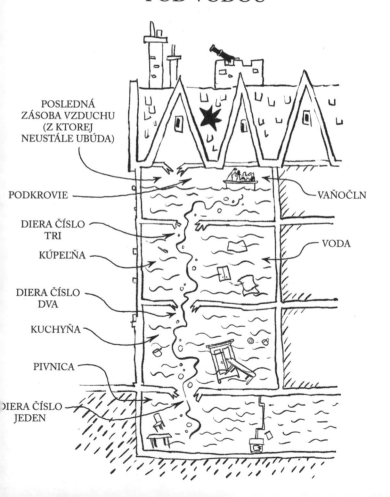

POSLEDNÁ ZÁSOBA VZDUCHU (Z KTOREJ NEUSTÁLE UBÚDA)

PODKROVIE

DIERA ČÍSLO TRI

KÚPEĽŇA

DIERA ČÍSLO DVA

KUCHYŇA

PIVNICA

DIERA ČÍSLO JEDEN

VAŇOČLN

VODA

Prezradím ti zaujímavý fakt o pštrosoch, ktorý možno unikol tvojej pozornosti. Hoci nevedia lietať, sú výborní PLAVCI!

Babrákovci sa už hlavami dotýkali stropu a zásoba vzduchu sa takmer minula. V tej chvíli Cecil vyskočil z vaňočlna a ponoril sa do vody.

„Čo stvára ten hlúpy vták?" divila sa Bela.

Pštros vystrčil hlavu nad hladinu a gestom naznačil ostatným, aby ho nasledovali.

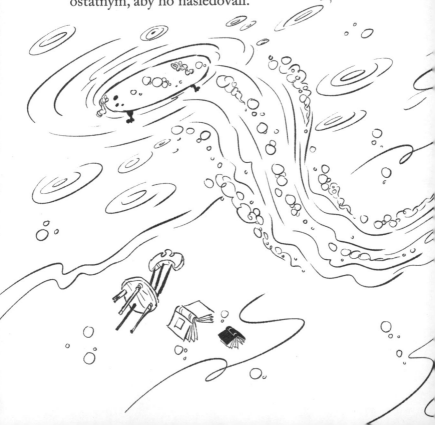

Babrákovci nemali inú možnosť. Kým by z nich stúpajúca hladina stihla spraviť placky, jeden za druhým sa vrhli do vody.

ČĽUP! ČĽUP! ČĽUP! ČĽUP! ČĽUP!

Poslednýkrát sa zhlboka nadýchli a chytili sa Cecilových dlhých nôh. Pštros sa obzrel, či sú všetci, a ponoril sa. Kopal nohami a plával ako o život.

Dolu,

    dolu,

        dolu.

Onedlho doplávali k vstupným dverám.

KLOP! KLOP! KLOP!

„TAK TO BY STAČILO! EXEKÚTORI!

IHNEĎ VYVAĽTE DVERE!"

Baranidlo narazilo do dverí...

ŠLÁH!

... a voda sa vyvalila von.

SPLÉÉÉÉÉÉÉÉÉÉÉÉÉÉÉÉÉÉÉCH!

Prúd vyvrhol Babrákovcov, komorníka a Cecila na dvor. Príval vody zmietol muža z banky a jeho komplicov z nôh. Rozbúrená rieka ich unášala preč. Babrákovci sa zachytili o strom, no troch darebákov prúd odnášal do neznáma.

„VEĎ LEN POČKAJTE! JA SA VRÁTIM!" zreval muž z banky. Vyzeral ako hlava plávajúca na hladine.

„NEVIEME SA DOČKAŤ, TY *PODVODNÍK!*" žartovne zvolal Bohuš, pevne zvierajúc konár stromu.

BABRÁKOVSKÁ SPOLOČENSKÁ HRA

Zavládla zima. Všade bolo chladno. Bielo. Ticho.

Babrákovské panstvo zahalila hrubá snehová pokrývka. Bola taká hlboká, že keď Babrákovci otvorili vstupné dvere, pred nimi sa vypínala biela hradba.

Do príchodu muža z banky zostával necelý týždeň a oni boli uväznení vo vnútri. Pomaly im dochádzali nápady, ako zachrániť svoj domov.

Na Vianoce radi hrávali rôzne hry. Bola to ich rodinná tradícia. Neboli by to však Babrákovci, keby každá hra neskončila absolútnou katastrofou.

Najradšej mali SCHOVÁVAČKU. Dokázali ju hrať celé týždne. To preto, že vždy zabudli, kto má hľadať a kto sa má schovať. Raz na Štedrý deň sa všetci ukryli:

Stará mama
do brnenia.

Bela do
koncertného
krídla.

Bonifác na záchode.
Teda vlastne
v záchode. Z misy
mu trčala len hlava.

Cecil v dóze na
keksíky. Zmestila
sa mu do nej len
hlava. O to lepšie,
aspoň ich mohol
všetky schrúmať.
„ŠKREK!"

Bohuš pod kvetináč.
Vlastne tam iba stál, snažiac
sa udržať kvetináč na hlave.

Komorník do zásuvky.
Konečne si doprial
zaslúžený spánok.
„CHRŔŔ! CHRŔŔ! CHRŔŔ!"

A Bianka pod
neviditeľného
koňa.

Prešiel týždeň. Všetci boli schovaní, no nik ich nehľadal. Uvedomili si to až vtedy, keď sa komorník zobudil, pretože mu bolo treba cikať.

HÁDAJ, NA ČO MYSLÍM najlepšie funguje, keď hráči poznajú začiatočné písmená slov. Za dlhé roky hrania Babrákovci s prekvapením zistili, že:

PŠTROS sa nezačína na O.

TRKVAS sa nezačína na H.

PEGAS sa nezačína na Z. Toto slovo sa hádalo najťažšie, pretože Pegas bol vymyslený kôň. To znamená, že bol neviditeľný a bolo čertovsky ťažké ho opísať.

Jedného dňa sa konečne zhodli, že BABRÁK sa začína na písmeno B. Všetkých to natoľko prekvapilo, že odvtedy hrali Hádaj, na čo myslím IBA S JEDNÝM-JEDINÝM SLOVOM.

„Hádaj, na čo myslím? Začína sa to na B...“

„Babrák?“

„Áno!“

„Mysli, na čo hádam! Začína sa to na písmeno B.“

„Je to Babrák?“

„Správne!“

„Hádaj, na čo hádam...“

„BABRÁK?“

„Ako vieš?!“

VIDLIČKY – LYŽIČKY – NOŽE bola obľúbená hra starej mamy. Postavila sa ostatným hráčom chrbtom a kým povedala „vidličky – lyžičky – nože", opatrne sa k nej približovali. Nebola by to však stará mama, keby sa do hry nepokúsila vniesť trochu NAPÄTIA. Ako inak, pomohla jej MUŠKETA!

Hneď ako začula kroky, vypálila varovnú ranu do stropu.

BUM!

Na tanečnú sálu sa zniesol prach a omietka. Hráči sa s krikom rozpŕchli.

ŠARÁDY mali tiež jeden háčik. Nik z rodiny si totiž nevedel zapamätať žiadnu knihu, pieseň, divadelnú hru ani film!

Tak vznikli:

* *RUŽENKOVÁ ŠÍPKA*
* *TICHÁ MOC, SVÄTÁ HOC*
* *MALÁ MORSKÁ PÍLA*
* *ČIŽMA V KOCÚROVI*
* *PO NÁBREŽÍ SLONÍK BEŽÍ*

STOLIČKOVÝ TANEC je hitom každej detskej oslavy. Babrákovci však mali vlastnú verziu s JEDNOU STOLIČKOU. Bolo to preto, že na celom Babrákovskom panstve bola len jediná stolička, na ktorej sa dalo sedieť bez rizika úrazu.

Niektoré boli zlomené. Iné rozhegané. Mali aj stoličku s troma nohami a ďalšiu s dvoma. Jedna stolička mala dokonca len jednu nohu. Stále lepšie než stolička bez nôh. Alebo bez sedadla. Či bez operadla. To už vlastne ani nebola stolička.

Keď hudba z gramofónu prestala hrať, všetci hráči sa vrhli k stoličke. Tá sa zlomila a bolo po hre.

Babrákovci jednoducho milovali hry, a tak stará mama dostala nápad.

„SME BABRÁKOVCI!" prehovorila k rodine zhromaždenej v salóne. „Babrákovci začínajú na písmeno B. Viem to z hry Hádaj, na čo myslím. Viete, aké slovo sa ešte začína na B? Odvaha! A poviem vám ešte jedno slovo na B! Odhodlanie! Naša rodina má jedného i druhého na rozdávanie. Rozhodla som sa, že peniaze na záchranu panstva získame tak, že vytvoríme našu vlastnú hru!"

„HURÁ!" jasali Babrákovci.

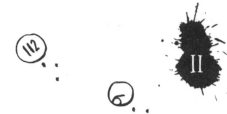

Každý člen rodiny mal vymyslieť jednu hru.

Stará mama vytvorila MUŠKETOVÉ BINGO.

Keďže nemala žrebovací bubon, z ktorého sa ťahajú loptičky s číslami, musela si poradiť inak. Načarbala čísla na pingpongové loptičky a vystreľovala ich z muškety.

BUM! BUM! BUM!

Aby sa predišlo vážnym zraneniam, zvyšok rodiny používal karty na bingo ako štíty.

DINK! DINK! DINK!

Bianka pomenovala svoju hru SKOK CEZ PREKÁŽKY NA HOJDACOM KONI.

Milovníčka koní rozostavila po celom Babrákovskom panstve prekážky. Potom vysadla na Belinho hojdacieho koňa a snažila sa ho donútiť, aby cválal po dráhe. Za celý deň sa pohla len o pár centimetrov.

Bohuš za svoj život vynašiel toľko vynálezov, že vymyslieť jednu hru bola preňho maličkosť.

Jeho hra dostala názov STOŠKVORKY. Pripomínala klasické PIŠKVORKY na gigantickej ploche. Hráči potrebovali papier vo veľkosti futbalového ihriska, pretože ich úlohou bolo spojiť sto koliesok alebo krížikov.

STOŠKVORKY mali len jeden drobný nedostatok. Nedali sa hrať. Papier vo veľkosti futbalového ihriska sa totiž nedal kúpiť v žiadnom papiernictve.

Zatiaľ čo zvyšok rodiny vymýšľal hry, Bonifác sa vŕtal v nose a vyberal si šušne. Chystal sa z nich spraviť obrovskú guľu na hru, ktorú nazval ŠUŠŇOBAL. Bola podobná VOLEJBALU, no namiesto gumenej lopty sa hrala s obrovskou nechutnou zelenou šušňoguľou.

Bola však taká lepkavá, že sa vôbec nedala hádzať. Namiesto toho zostala prilepená na ruke.

Určite ťa neprekvapí, že Bela vymyslela hru, ktorú mohla vyhrať jedine ona sama.

Volala sa NAJSAMLEPŠIA BALERÍNA.

Celá rodina proti nej súťažila v baletnom tanečnom súboji. Bela si bola na sto percent istá, že zhrabne prvú cenu. Na jej veľké prekvapenie sa však ukázalo, že Cecil je baletný tanečník svetového formátu!

„ŠKREK!"

„TO NIE JE FÉR!" trucovala Bela.

Komorník si všimol, že hry sa menia na chaos, a tak sa rozhodol zasiahnuť.

„Ak vás na chvíľu môžem prerušiť, napadla mi dobrá hra. Ide o..."

„TAK UŽ TAM NE-STOJ, ČLOVEČE, A KO-

NEČNE NÁM POVEDZ, NA ČO SI PRIŠIEL!"
zrúkla stará mama. „IDE O ZÁCHRANU NÁŠHO
DOMU!"

„Na Babrákovskom panstve sa človek ani chvíľu
nenudí. Napadlo mi, že by sme spoločne mohli vytvo-
riť hru založenú na živote v tomto dome."

Babrákovcov to zaujalo.

„Pokračuj," vyzval ho Bohuš.

„Mapa Babrákovského panstva by slúžila ako hra-
cia plocha. Panáčikovia budú predstavovať vás všet-
kých. Samozrejme, potrebujeme aj kocku. Hráč hodí
kockou a posúva sa cez izby domu. Cieľom hry je prísť
do cieľa bez toho, aby sa dom zrútil."

„BABRÁKOVSKÁ SPOLOČENSKÁ HRA!"
zvolali Babrákovci jednohlasne.

„MÁME TU VÍŤAZA!" vyhlásil Bohuš.

III

Bela s Bonifácom sa pustili do výroby hracej plochy. Poslúžil im obal starého atlasu, z ktorého už dávno vypadli všetky strany. Deti nakreslili všetky miestnosti v dome a políčka medzi nimi. Potom ich vyfarbili. Prvýkrát za celú večnosť sa z ich izby neozval ani hlások.

Bianka mala na starosti panáčikov. Každý predstavoval jedného z Babrákovcov. Vyrobila ich z papierovej hmoty. Najviac času jej zabral Pegas, na ktorom si dala výnimočne záležať.

Bohušovou úlohou bolo vymyslieť KARTY S ÚLOHAMI. Ak stúpiš na červené políčko, musíš si potiahnuť jednu kartu a splniť, čo je na nej napísané. Úlohy načarbal na zadnú stranu sedmových kariet.

Tu sú niektoré z nich:

PRÁVE SA KÚPEŠ VO VANI, KEĎ SA ZRAZU POD TEBOU PREBORÍ PODLAHA. **CHOĎ O JEDNO POLÍČKO VZAD.**

VYMYSLENÝ KÔŇ TVOJEJ ŽENY SA SPLAŠÍ. **CHOĎ S JEJ PANÁČIKOM O DESAŤ POLÍČOK VPRED.**

V NOCI POTREBUJEŠ CIKAŤ, NO NECHCE SA TI ÍSŤ NA ZÁCHOD. NAMIESTO TOHO SA VYCIKÁŠ Z OKNA. ŽLTÝ SNEH ŤA PREZRADÍ. **VRÁŤ SA NA ŠTART.**

CEZ DIERU V ČASOPRIESTORE SA BABRÁKOVSKÉ PANSTVO PRENESIE O MILIÓNY ROKOV DO MINULOSTI, KEĎ ZEM OVLÁDALI DINOSAURI. TYRANOSAURUS REX ZOŽERIE DOM A VŠETKO V ŇOM. **STOJÍŠ JEDNO KOLO.**

NA HLAVE TI PRISTANE OBROVSKÁ ŠUŠŇOGUĽA. VYZERÁŠ AKO CHODIACI RUŽIČKOVÝ KEL.
POTKNI SA O JEDNO MIESTO VPRED.

KUCHYNSKÁ MINÚTKA SA POKAZILA. TVOJE VAJÍČKO SA VARÍ UŽ TRI DNI.
STOJÍŠ JEDNO KOLO.

TVOJ DOMÁCI MILÁČIK PŠTROS ŤA ĎOBNE DO ZADKU TAK SILNO, ŽE SI TÝŽDEŇ NEMÔŽEŠ SADNÚŤ.
CHOĎ O SEDEM POLÍČOK SPÄŤ.

TVOJA MAMA VYROBÍ DOMÁCI OHŇOSTROJ, NO DÁ DOŇ PRIVEĽA STRELNÉHO PRACHU. JEDEN ODPÁLIŠ A... BUM! BABRÁKOVSKÉ PANSTVO VYBUCHNE.
VRÁŤ SA O JEDNO POLÍČKO SPÄŤ.

NEJAKÝ BLBEC POČMÁRAL SEDMOVÉ KARTY.
CHOĎ O JEDNO POLÍČKO SPÄŤ A POTOM O JEDNO VPRED.

MUŽ Z BANKY TI OZNÁMI, ŽE DLHUJEŠ DESAŤTISÍC LIBIER.
CHOĎ O POLOVICU POLÍČKA SPÄŤ.

Do večera bola BABRÁKOVSKÁ SPOLOČEN-SKÁ HRA na svete. Keď ju vyskúšajú a otestujú, bude pripravená dobyť svet!

Bola by nuda, keby hral každý člen rodiny sám seba, a tak si vymenili roly.

Stará mama bola Bianka.

Bianka bola Bonifác.

Bonifác bol Bela.

Bela bola Bohuš.

Bohuš bol stará mama.

Pegas bol Cecil.

Cecil bol Pegas.

Stará mama hodila kockou. V skutočnosti to bola škatuľa na klobúky s nakreslenými číslami.

ŠUP!

„Šestka!" zvolala a pohla sa vpred s Biankiným panáčikom. „Jeden! Dva! Tri! Štyri! Päť! Päť! Šesť!"

Keďže dvakrát povedala „päť", v skutočnosti sa nepohla o šesť, ale o sedem políčok. Nik z rodiny sa neodvážil protestovať. Čo ak vytiahne mušketu?

Panáčikom prešla od vchodových dverí do jedálne. Nanešťastie, pristála na červenom políčku. To znamenalo, že si musí potiahnuť KARTU S ÚLOHOU. Najprv nevedela rozlúštiť synov škrabopis, no napokon sa jej to podarilo:

„VYLOGÁŠ CELÚ DEBNU ŠAMPANSKÉHO. BUBLINKY TI SPÔSOBIA ZÁCHVAT PRDENIA. PRDY MAJÚ TAKÚ SILU, ŽE VZLIETNEŠ. KRÚŽIŠ OKOLO BABRÁKOVSKÉHO PANSTVA RÝCHLOSŤOU SVETLA. CHOĎ O DVANÁSŤ POLÍČOK VPRED! Ha! Ha! Milujem túto hru!"

Z Babrákovskej spoločenskej hry sa okamžite stal hit! Babrákovci ju zbožňovali a boli presvedčení, že očarí milióny ľudí.

„Musíme ju ihneď zaniesť výrobcovi spoločenských hier!"

„Pán Čudomír vyrába najznámejšie hry v krajine,"
povedal komorník.

„IDE SA K NEMU!" súhlasili všetci.

Bohuš si obliekol svoj najhrubší kabát a otvoril
dvere. Oproti nemu sa vypínala vysokánska snehová
hradba.

„Dokelu! Na sneh som úplne zabudol! Nemá-
me veľa času. Náš vynález musíme poslať čo najskôr.
BABRÁKOVCI! NA STRECHU!"

V

O chvíľu sa Babrákovci aj s komorníkom a Cecilom brodili hlbokým snehom na streche. Netrvalo dlho a prišli k delu.

„Ktorým smerom sú Čudomírovce?" spýtal sa Bohuš.

„Tamtým," mávla rukou stará mama.

Bohuš namieril delo. Vytiahol z vrecka pero a na škatuľu načmáral odkaz.

> *Prísne tajné!*
> *Do vlastných rúk pána*
> *Čudomíra!*

Potom hru vložil do hlavne dela.

„Mama, zapáľ rozbušku!" prikázal.

„S RADOSŤOU!"

Vtom sa ozval komorník:

„Pane, ste si istý, že je to dobrý..."

Kým stihol povedať „nápad", ozvala sa ohlušujúca rana.

BUM!

Delo vystrelilo hru vysoko do vzduchu.

VUŠŠŠŠ!

Dopadla na ňu spŕška iskier a začala horieť!

KŠŠŠŠŠŠ!

Hra letela oblohou ako horiaci vták Fénix, až sa rozdrobila na tisíc kúskov. Popol plachtil vzduchom a pokryl snehovú perinu sivým popraškom.

„Hups!" hlesol Bohuš.

Babrákovci sa bez slova vliekli domov. Boli smutní. Komorník bol smutný. I Cecil bol smutný. Keby Pegas existoval, tiež by bol smutný.

Vtom sa ozval komorník:

„S dovolením, práve mi niečo napadlo. Čo keby ste si zahrali BABRÁKOVSKÚ SPOLOČENSKÚ HRU naživo?"

„AKO TO MYSLÍŠ?" zahrmela stará mama. „NO TAK, VRAV, ČLOVEČE! NEROB DRAHOTY!"

„Nuž, každý z vás by sa prezliekol za niekoho iného. Namiesto hernej dosky by ste sa pohybovali po dome."

„HURÁ!" radovali sa Babrákovci.

Členovia rodiny si rozjarene povymieňali šaty.

Netrvalo dlho a Bohuš sa prezliekol za Bianku.

Bianka za Bonifáca.

Bonifác za starú mamu.

Stará mama za Belu.

A Bela za Bohuša.

Cecil si navliekol komorníkovu uniformu.

Komorník sa zo všetkých síl snažil zakryť si chúlostivé partie pštrosím perím.

Keď sa na seba pozreli, vybuchli do smiechu.

„HA! HA! HA!"

Vyzerali ako účinkujúci v komédii. Netušili, že onedlho budú čeliť temnej smrtiacej DRÁME.

Hrôzostrašný príbeh
mačky Filomény

Bola polnoc. Na Babrákovskom panstve vládlo ticho.
Jediným zvukom bolo ohlušujúce chrápanie starej mamy. Znelo to, akoby pílila drevo.

„CHŔŔŔ! CHŔŔŔŔ! CHŔŔŔŔŔ!"

Rozvaľovala sa na posteli s baldachýnom ako kráľovná. Vlastne to už nebola posteľ s baldachýnom, iba obyčajná posteľ. Tak ako každú noc sa v spánku túlila k svojej muškete, akoby to bol plyšový macko.

Preto na posteli chýbal baldachýn – keď zaspala, prstom nechtiac stisla spúšť a rozstrieľala ho.

PIF! PAF! PUF!

Zvuk ju vôbec neprebudil.

„CHŔŔŔŔŔŔŔŔŔŔŔŔ!"

Stará mama spávala s mušketou pre prípad, že by nastala jedna z nepravdepodobných udalostí:

- Škótska vojenská invázia.
- Neohlásená návšteva jej dvojčaťa.
- Stádo antilop cválajúce po Babrákovskom panstve.
- Na dvere zabúcha polícia, aby ju zatkla za nelegálne držanie mušketу.
- Mucha lietajúca po spálni.
- A to najhoršie na koniec – muž z banky, ktorý prišiel prerobiť ich dom na polepšovňu!

Hodiny na panstve podobne ako ich majitelia mali o koliesko menej. Aby sme boli spravodliví, hodiny za to nemohli. Boli také starobylé, až bol zázrak, že ešte tikali.

O druhej hodine v noci odbili jedenásťkrát a o siedmej ráno raz. Ďalej to už nebudem rozvádzať, pretože inak by táto kniha mala osemsto strán a bola by nevýslovne nudná.

Tej noci spravili hodiny čosi nečakané. O polnoci odbili trinásťkrát.

BIM! BAM! BIM! BAM! BIM! BAM! BIM! BAM! BIM! BAM! BIM! BAM! BIM!

Keď odbili poslednýkrát, na posteli starej mamy sa zhmotnil strašidelný prízrak. Vyzeral ako mačka, ale bol priesvitný a žiaril. Otvoril papuľu a odhalil dlhé ostré tesáky.

„KSSSSS!"

Mŕtvy ožil! Stal sa zázrak! Zázrak, po akom nikto netúžil.

Stará mama zacítila jeho prítomnosť a prudko sa posadila na posteli. Zazrela príšeru a okamžite spustila paľbu.

Odjakživa sa riadila heslom „najprv strieľaj, potom sa pýtaj". Vždy jej dobre poslúžilo, hoci naň jej manžel, nanešťastie, doplatil životom.

BUM! Zaznela rana z muškety.

Guľka preletela skrz ducha.

„*K S S S S!*"

Tvor zoskočil z postele a vykradol sa z izby. Stará mama vyskočila na rovné nohy.

„ZAČÍNA SA POĽOVAČKA!" zamrmlala si popod nos a vypochodovala z izby.

Fantóm bežal dolu schodmi k vstupným dverám. Stará mama ho prenasledovala, páliac z mušketv.

PIF! PAF! PUF!

Dekorácie vybuchovali. Maľby padali zo stien. Nábytok sa roztrieštil na márne kúsky. Všetok majetok, ktorý Babrákovci po poslednej pohrome krvopotne zlepili dohromady, bol opäť na cimpr-
-campr.

Duch vyrazil k vstupným dverám. Stará mama naňho zo schodiska namierila a vypálila.

Fantóm vybehol z dverí práve v momente, keď vypadli z pántov. S hlasným ŽUCH dopadli na zem.

Ohlušujúce BUM, BUM, BUM, BUM vytrhlo obyvateľov Babrákovského panstva zo spánku.

Úbohý Cecil vystrašene škriekal a poskakoval hore-dolu.

„ŠKREK! ŠKREK! ŠKREK!“

Babrákovci uháňali dolu schodmi starej mame na pomoc. Bela nahnevane dupla.

„Čo je to tu za bengál?“

„Ten zvuk bol taký hlasný, že som takmer nepočul svoje prdy,“ nariekal Bonifác.

„Mamulienka, musíš na tú vec strieľať vo vnútri?“ spýtal sa Bohuš.

„Splaší sa mi kôň,“ dodala Bianka, ktorá spala v kompletnom jazdeckom výstroji, vrátane klobúka a čižiem.

Posledný sa došuchtal komorník v župane a čiapke na spanie.

„Potrebuje niekto termofor?“ spýtal sa.

„Nie, nepotrebuje!" zahrmela stará mama. „Tento dom poznáš najlepšie. Žiješ tu dlhšie než ktokoľvek z nás."

„Máte pravdu, madam. Som presvedčený o tom, že na Babrákovskom panstve... STRAŠÍ!"

Ozvala sa hrôzostrašná hudba.

DUM! DUM! DUM!

Všetky oči sa obrátili ku klavíru. Cecil mlátil zobákom do klávesov.

„ŠKREK!"

„Rozpoviem vám strašidelný príbeh. VRAŽDA NA BABRÁKOVSKOM PANSTVE," začal komorník. „Pred mnohými rokmi..."

„Pardon," prerušil ho Bohuš. „Nerád kazím zábavu, ale nutne potrebujem cikať. Mohol by si to trochu urýchliť?"

„Žije tu duch. Koniec."

„Hmm, to bolo trošičku prirýchle."

Hneď ako sa Babrákovci vycikali a vykakali, usadili sa okolo krbu v salóne. Komorník sa im zveril s hrozným tajomstvom, ktoré v sebe dusil desiatky rokov.

„Pred stáročiami vlastnil vtedajší lord Babrák čiernu mačku, hrôzostrašnú a nádhernú ako panter. Volala sa Filoména. Bola to tá najoddanejšia mačka na svete. Svojmu pánovi bola neustále v pätách, či už sa vybral do záhrady, do dediny, alebo do Ruska bojovať proti Osmanskej ríši.“

„Parádna mačka!" zvolal Bonifác.

„Na rozdiel od Osmanskej ríše prežila i vojnu."

„Ako zomrela?" spýtala sa Bela.

„Je mŕtva?! Chuderka, taká mladá!" vyhŕkol Bohuš.

Stará mama neveriacky pokrútila hlavou.

„Môjho syna si nevšímajte. Je hlúpejší než pštros!"

Cecil nespokojne zamával krídlami.

„ŠKREK!"

„Vystupujú v tomto príbehu nejaké kone?" spýtala sa Bianka.

„Nie."

„V tom prípade si idem ľahnúť. Hijó, Pegas!"

„IHNEĎ SA POSAĎ!" zavelila stará mama. Bianka zosadla z vymysleného koňa a poslušne sa vrátila na miesto.

„Komorník, ešte stále si nám nepovedal, ako Filoména zomrela," podotkla Bela.

„Lord sa zamiloval do ženy, ktorá nenávidela mačky."

„PREČO?"

„Keď bola malá, rada ich ťahala za chvost. Raz jej to jedna mačka vrátila. Uhryzla ju do zadku."

„AU!" skríkol Bohuš. „Moje druhé najneobľúbenejšie miesto!"

„Láska medzi lordom Babrákom a jeho vyvolenou rástla," pokračoval komorník, „až sa jedného dňa vzali. Novopečená lady Babráková Filoménu z hĺbky duše nenávidela. Chcela ju vyhladovať na smrť, a tak jej zjedla všetko mačacie jedlo."

„FUJ!" zvolala Bela.

„MŇAM!" zvýskol Bonifác.

„Vyrába sa mačacie jedlo z ozajstných mačiek?" spýtal sa Bohuš.

Stará mama si nahlas povzdychla nad synovou prihlúplou otázkou.

„ACH!"

„Filoména sa rozhodla pomstiť a nacikala jej do topánok. Lady Babráková sa rozzúrila dobiela. Tej noci ju schmatla za chvost a napchala do vreca. Vysadla na koňa a cválala tmou, kým neprišla k rieke..."

„Len to nie!" zvolala Bianka. „Už tuším, ako to dopadne!"

„Trafil ich meteorit."

„Nuž, tak to som skutočne nečakala."

„Podľa legendy odvtedy duch mačky straší na Babrákovskom panstve."

„Aká náhoda!" poznamenal Bohuš. „Práve včera v noci som videl priesvitného ducha mačky s menom Filoména na obojku prejsť cez stenu. Myslíte, že to mohla byť ona?"

„BOHUMIL!" zrúkla stará mama. „Prečo si nám o tom nepovedal?"

„Ako som mal vedieť, že je to dôležité?"

„DUCH NA BABRÁKOVSKOM PANSTVE!" zvolala Bianka. „A NIE HOCIJAKÝ! DUCH MAČKY! Z toho by mohla byť SENZÁCIA! Možno dokonca väčšia než parkúrové skákanie, ktoré som minulý rok usporiadala v záhrade."

„To bola čistá katastrofa," odvrkla stará mama. „Ako môžeš robiť parkúrové skákanie bez koňa?"

„Aby som bol úprimný, ten jediný tam chýbal," súhlasil Bohuš.

„Duch z nás môže urobiť boháčov! Boháčov! Boháčov! BOHÁČOV!" zvolala Bianka. „Vyplatíme muža z banky, zachránime naše panstvo a za zvyšné peniaze postavíme Pegasovi stajňu!"

„Miláčik, si jednoducho génius! Rovnako ako ja!"
zvýskol Bohuš. „Duchov miluje každý a väčšina ľudí
má rada i mačky. Na Babrákovské panstvo sa budú hr-
núť davy z celého sveta."

„Aby sa zúčastnili LOVU NA MAČACIE-
HO DUCHA!" zvolala Bianka.

III

Bohuš uháňal k telefónu. Obvolal noviny z celého sveta a objednal si inzeráty.

ČUJTE, ČUJTE!

SRDEČNE VÁS POZÝVAME NA HISTORICKY PRVÝ LOV NA MAČACIEHO DUCHA! IBA NA BABRÁKOVSKOM PANSTVE.

BABRÁKOVSKÉ PANSTVO UVÁDZA LOV NA MAČUCHA *(ALEBO NA DUCHAČKU!)*

AK NEZOMRIETE OD STRACHU, VRÁTIME VÁM PENIAZE!

MÁTE RADI **MAČKY,** NO NEPOHRDNETE ANI **DUCHMI?** V TOM PRÍPADE JE

LOV NA MAČACIEHO DUCHA

NA BABRÁKOVSKOM PANSTVE PRE VÁS TO PRAVÉ ORECHOVÉ!

Netrvalo dlho a telefón na panstve vyzváňal dňom i nocou. Ľudia z celého sveta túžili zúčastniť sa lovu na mačacieho ducha.

CŔŔŔN! CŔŔŔN! CŔŔŔN! CŔŔŔN! CŔŔŔN! CŔŔŔN! CŔŔŔN! CŔŔŔN! CŔŔŔN! CŔŔŔN!

Babrákovci nemohli uveriť svojmu šťastiu. Vtom Bele čosi napadlo.

„Ako budeme vedieť, kedy sa objaví Filoménin duch? Nemôžeme usporiadať lov na ducha bez ducha."

Členovia rodiny bezmocne krčili plecami. Dokonca ani starý múdry komorník netušil. Našťastie ich zachránil Cecil. Prihopkal k starožitným hodinám.

„ŠKREK!"

„POZRITE!" zvolal komorník. „Cecil nám chce niečo povedať!"

Pštros sa postavil vedľa hodín, poskakoval hore-dolu a trinásťkrát zaškriekal.

„ŠKREK! ŠKREK! ŠKREK! ŠKREK! ŠKREK! ŠKREK! ŠKREK! ŠKREK! ŠKREK! ŠKREK! ŠKREK! ŠKREK! ŠKREK!"

„Azda pštrosia morzeovka?" hádala stará mama.

„Napočítal som trinásť zaškriekaní," vyhlásil komorník.

Cecil prikývol. Zobákom otvoril dvierka hodín a vrazil hlavou do gongu.

DINK!

„Trinásť! Zvonenie!" vykrikoval komorník v snahe rozlúsknuť hádanku. „Mám to!"

„TAK UŽ NÁM TO KONEČNE PREZRAĎ, ČLOVEČE!" prikázala stará mama.

„Trinásť zazvonení!"

Pštros prikývol.

„ŠKREK!"

„Filoménin duch sa objaví, keď hodiny trinásťkrát odbijú!"

„ŠKREK!"

„ÚŽASNÉ!" potešil sa Bohuš. „Musíme len počkať, kým bude ručička na trinástke."

„POZRI SA NA CIFERNÍK, SYNAK!" zavelila stará mama. „JE TAM ČÍSLO TRINÁSŤ?"

„Ako to mám vedieť?"

„Nezostáva nám iné, len prinútiť hodiny, aby trinásťkrát zazvonili. Potom sa objaví duch."

„To bude MAČKA!" zvolal Bohuš. „Teda vlastne
HRAČKA!"

IV

Lov na mačacieho ducha sa začal hneď na druhý deň o polnoci. Babrákovské panstvo zahalila hustá hmla. Bolo to strašidelné. Hrozivé. Zlovestné.

Noc ako stvorená na vstup do RÍŠE NE-MŔTVYCH.

Komorník stál pri dverách a vítal návštevníkov. Bianka sedela v hale s plechovým vedierkom na kolenách. Onedlho malo byť plné peňazí, ktoré rodina tak potrebovala.

Stará mama zvierala mušketu pripravená bez milosti odbachnúť všetkých, čo odmietnu zaplatiť.

Bela s Bonifácom sa skrývali za hodinami. Keď dostanú znamenie, trinásťkrát zazvonia.

Bohuš nedostal žiadnu úlohu, takže nemohol nič pokaziť. Postával pri svojej žene a snažil sa tváriť užitočne.

Pred dverami netrpezlivo čakala asi stovka ľudí.

KLOP! KLOP! KLOP!

Dvere, ktoré Babrákovci narýchlo upevnili po tom, čo ich stará mama vystrelila z pántov, sa zrútili na podlahu.

T R E S K!

„VITAJTE NA BABRÁKOVSKOM PAN-STVE!" zvolal komorník. Jeho prácou bolo otvárať ľuďom dvere, a tak sa zo zvyku natiahol za kľučkou, ktorá tam nebola.

„ISTOTNE STE PRIŠLI NA LOV MAČACIEHO DUCHA. VSTUP LEN NA VLASTNÉ RIZIKO!"

Návštevníci ešte ani poriadne neprekročili prah domu, a už sa báli. Zrejme to boli milovníci mačiek, pretože si ich priniesli so sebou. Alebo to bolo naopak a mačky si priniesli svojich majiteľov? To sa už nikdy nedozvieme.

„Vstupné na lov na ducha je jedna libra," oznámila Bianka. Keď si všimla mačky, zavetrila príležitosť. „A za domáce zviera to bude libra navyše."

„Neviem, či mačky pri sebe nosia peniaze," zašepkal Bohuš, ktorý sa ponevieral okolo ako náhradná súčiastka.

Návštevníci jeden za druhým hádzali do vedierka peniaze.

CINK! CINK! CINK!

Muž na konci radu bol tvrdý oriešok. Na hlave mu sedela mačka. Očividne ju naaranžoval tak, aby pripomínala vlasy.

Bola to tá najhoršia parochňa, akú svet kedy videl!

Keď si od neho Bianka vypýtala libru navyše, muž očervenel od hnevu.

„Ja predsa nemám mačku!" vyštekol.

„TAK ČO VÁM TO POTOM SEDÍ NA HLAVE?" zavrčala stará mama a výhražne zamávala mušketou.

„TO SÚ VLASY!" odvetil muž

„VYZERAJÚ ÚPLNE AKO MAČKA!"

„NIE JE TO ŽIADNA MAČKA!"

„JE!"

„NIE JE!"

„JE!"

„NIE JE!"

Vtom jej napadlo, ako ho dobehne.

„NIE JE!" vykríkla.

„JE!" odvetil muž. „NIÉÉÉ!"

„CSSSS... CSSSS... VSTÁVAJ, MICKA!" povedala stará mama a štuchla ju do zadku mušketou.

Mačka otvorila oči.

„MŇAU!"

„VIDÍTE? ZAMŇAUKALA!" vykríkla. „AK NEZAPLATÍTE AJ ZA MAČKU, NEPUSTÍM VÁS DOVNÚTRA!"

„DOŠĽAKA!" zavrčal muž a hodil mincu do vedierka.

CINK!

„Takto ma ešte nikto v živote neponížil. Ani moju mačku. Vlastne parochňu. Vlastne vlasy."

S tými slovami sa otočil a uháňal za svojou skupinou.

Zatiaľ čo bežal, priložil si k vlasom misku s mliekom.

„Dobrú chuť, pán Chlpáčik!"

Komorník viedol lovcov duchov cez Babrákovské panstvo. Zatiaľ čo kráčali po schodoch, rozpovedal im HRÔZOSTRAŠNÝ PRÍBEH MAČKY FILOMÉNY. I tentoraz poslucháčov zarazila Filoménina nečakaná SMRŤ METEORITOM.

Po hodine úmorného blúdenia po dome začala návštevníkom dochádzať trpezlivosť. Nečudo, bolo skoré ráno a po duchovi ani pamiatky.

„JE TO PODFUK!"

„BOHAPUSTÁ LOŽ!"

„TEN METEORIT SA MI OD ZAČIATKU NEPOZDÁVAL."

„STAVÍM SA, ŽE FILOMÉNA JE VYMYSLENÁ!"

„CHCEME NASPÄŤ NAŠE PENIAZE!"

„AJ PRÍPLATOK ZA NAŠE MAČKY."

„MŇAU!" súhlasili mačky.

Pán Chlpáčik, ktorý sa stále pohodlne rozvaľoval na hlave svojho majiteľa, zlomyseľne zaprskal.

„PRSK!"

„KEDY KONEČNE UVIDÍME DUCHA MAČKY?" dobiedzali návštevníci.

„Každú chvíľu," uistil ich komorník.

Nekonečné čakanie mal v pláne od začiatku. Chcel vystupňovať napätie.

Komorník žmurkol na Bianku, tá na Cecila, ten na starú mamu a tá na Bohuša, ktorý sa pozabudol a z plných pľúc zreval:

„TERAZ!"

Bolo to znamenie pre deti ukrývajúce sa za hodinami.

Nastalo trápna pauza, počas ktorej sa súrodenci dohadovali, kto spustí zvonenie.

„JA SOM NA RADE!"

„NIE, JA!"

„MALA SOM LEN JEDEN POKUS A TY SI MI HO POKAZIL."

„DAJ TIE PAPRČE PREČ Z MÔJHO GONGU!"

„NIE JE TO TVOJ GONG."

„ALE JE!"

„DÁM TI TAKÝ GONG DO NOSA, ŽE UVIDÍŠ!"

Komorník zavolal na pomoc pštrosa:

„CECIL!"

Ten zobákom otvoril dvierka hodín a hlavou vrazil do gongu.

BIM! BAM! BIM! BAM! BIM! BAM! BIM! BAM! BIM! BAM! BIM! BAM! BIM!

Najprv bolo ticho. Potom sa zhora ozvalo jemné cinkanie.

CINK! CINK! CINK!

Všetky hlavy sa otočili za ním.

Na lustri sa hojdal MAČACÍ DUCH!

„MŇAU!" zamňaukal na návštevníkov.

Filoména odhalila dlhé špicaté tesáky a zaprskala.

Bolo to najzúrivejšie zaprskanie v NOVODOBÝCH DEJINÁCH PRSKANIA.

„*PRSSSSSSSSSSSSSSSSSSSSSSSSSS SSSSSSSSSSSSK!*"

Návštevníci spolu s mačkami revali od hrôzy.

„ÁÁÁÁÁÁÁÁÁÁÁÁÁÁÁÁÁÁÁÁ ÁÁÁÁÁÁÁÁÁÁÁÁ!"

MAČACÍ DUCH bol taký príšerný, že mačkám úplne PRESKOČILO.

Pobehovali po izbe ako splašené.

VZZZZUM!

Šplhali sa po závesoch.

ŠKRAB!

Skákali po nábytku a zhadzovali vázy.

TRESK!

Zavŕtali sa pod koberec.

ŠUP!

Zhadzovali svojich majiteľov z nôh.

BUM!

Pán Chlpáčik zoskočil svojmu pánovi z hlavy a pristál Cecilovi na chrbte. Pštros natiahol krk a ďobol ho do zadku.

ĎOB!

„MŇAU!"

„ŠKREK!"

Pán Chlpáčik ho poškriabal pazúrmi.

„PRSK!"

Na Babrákovskom panstve vypukol neľútostný boj medzi ľuďmi a zvieratami. Nebola

to len obyčajná ka-
tastrofa, ale skutočná
MAČKOSTROFA!

VI

Holohlavému mužovi úplne ŠIBLO. Jeho neveľmi tajné tajomstvo bolo odhalené.

„NIÉÉÉ! VRÁŤ SA, PÁN CHLPÁČIK!"

Keď okolo neho prefrnkla tlupa vystrašených mačiek, načiahol sa a jednu schmatol.

„PRSK!"

Pleskol si ju na hlavu. Mačka, zhodou okolností bezsrsté plemeno, sa divoko zvíjala.

„MŇAU!"

Muž si ju musel na hlave pridržiavať oboma rukami. Niežeby mu to pomohlo – mačka bola ešte plešatejšia než on, a to nemal na hlave ANI VLAS!

„ANI SA NEPOHNI!" rozkázal.

„*P R S K!*" naježila sa mačka a pohrýzla ho do prsta.

CHRUM!

„AUVAJS!"

Bolesť bola neznesiteľná. Muž pustil mačku a tá mu zoskočila z hlavy. Vytasila pazúry a pristála na hodvábnych závesoch. Zatiaľ čo sa spúšťala nadol, roztrhala ich na cimpr-campr.

PUUUUUK!

„NEDOVOLÍM NEJAKÝM MICKÁM, ABY ZNIČILI NAŠE PANSTVO!" zahrmela stará mama. Vystrelila na luster, z ktorého ešte stále visela Filoména.

BUM!

„TREFA!" zvolala, keď luster aj s duchom mačky zleteli na zem.

TRESK!

Lovci mačacích duchov a ich mačky vzali nohy na plecia.

„JÁÁÁJ!"

„POMÓÓÓC!"

„UTEKAJME!"

„MŇAU!"

Návštevníci sa vyhrnuli z domu. Duch mačky im bol v pätách.

„PRSSSK!"

Holohlavý muž vytrhol Bianke z rúk vedro plné zlatých mincí.

„TIE PENIAZE SÚ NAŠE!" zvolal a zmizol v tme.

Babrákovci, komorník a Cecil stáli pri dverách a sledovali ľudí uháňajúcich po ceste. Filoména ich už-už doháňala. Vtom sa stalo niečo neuveriteľné.

Z VESMÍRU PRILETEL METEORIT!

V U Š Š Š Š !

Ako som povedal – ne-uveriteľné!

DOPADOL ROV-NO NA FILOMÉNU!

BUM!

Náraz bol taký silný, že sa Babrákovské panstvo otriaslo v základoch.

HRK! HRK!

Všetky veci v do-me, čo ešte nespadli na zem, využili príležitosť a roz-bili sa.

T R E S K !
PLESK! PRÁSK!

„Ježkove oči!" po-vzdychol si Bohuš.

„Aspoň máme ko-nečne pokoj od Filomény," poznamenala jeho žena.

Boli takmer dve hodiny v noci. Keď veľká ručička ukázala na dvanástku, hodiny začali odbíjať.

BIM! BAM! BIM!

Všetky oči sa obrátili k nim.

BIM! BAM! BIM! BAM! BIM!

Napätie by sa dalo krájať.

BIM! BAM! BIM!

Koľkokrát ešte zazvoní?

BIM! BAM! BIM!

„Dvanásťkrát!" zvolala Bela. „Je to v suchu!"

Celá rodina si s úľavou vydýchla, keď vtom...

BAM!

V tej sekunde sa objavila Filoména. Sedela na Belinej hlave.

„PRSSSSSSSSSSSSSSSSSSSK!"

„ÁÁÁÁÁÁÁÁÁÁÁÁÁÁ-ÁÁÁÁÁCH!"

Veľká nohavičková lúpež

„CIRKUS?" jachtal Bohuš.

„ÁNO!" zvolala Bianka, nadšene skáčuc hore-dolu po posteli.

HOP! HOP! HOP!

„BABRÁKOVSKÝ CIRKUS zachráni náš domov!"

Niektoré nápady sú strelené.

Iné sú šibnuté.

No tento bol ÚPLNE NA HLAVU!

Muž z banky mal prísť s úderom polnoci, aby zhrabol svojich desaťtisíc libier. Ak nezaplatia, naveky stratia Babrákovské panstvo.

Toto bola ich POSLEDNÁ ŠANCA!

*

Toho rána docválala Bianka do jedálne na Pegasovi a predstavila rodine svoj plán.

„Keď som bola malé dievčatko, mama s ockom ma v deň mojich narodenín vždy zobrali do cirkusu. To vzrušenie! To majstrovstvo! Tá radosť! Keby môjho ocka nezožral lev, bol by to najčarovnejší deň môjho života. Všetci milujú cirkus. Mohli by sme zarobiť fúru peňazí. A ako iste viete, FÚRU PEŇAZÍ nutne potrebujeme.

„ÁNO!" nadšene súhlasili Babrákovci.

Ako už bolo zvykom, komorník sa ich snažil držať pri zemi.

„Nechcem vám kaziť radosť, no cirkusy ponúkajú množstvo nezvyčajných predstavení. Kde by sme zohnali toľkých ľudí? Akrobatov, klaunov, žonglérov, kúzelníkov, zvieratá..."

„Babrákovci budú hlavní účinkujúci," odvetila Bianka.

„HURÁ!" zvolali Babrákovci.

„Pegas bude hlavnou hviezdou programu," pokračovala, no tento nápad očividne nadchol iba ju.

„Hurá!" zvolala.

„A kde nájdeme cirkusový stan, madam?" spýtal sa komorník.

„Vyrobíme ho!"

„Z čoho?"

„Z NOHAVIČIEK!"

„Z nohavičiek?"

„Z NOHAVIČIEK!"

„Prečo stále hovoríš z *nohavičiek*, mami?" spýtala sa Bela.

„To preto, zlatíčko, lebo na výrobu cirkusového stanu použijeme GAŤKY. BOMBARDIAKY! SPOĎÁRE! ČUKOTKY! PANTALÓNY! GÁČURKY! TANGÁČE! BUĎKY! BOXERKY! KRYTKY NA RIŤKY! BOMBIŠE! BUĎOGY! ZADKOHANDRY!"

„Mamulienka," prerušil ju Bonifác, „koľko gatiek vôbec máš?"

„Iba jedny!"

„Nuž, z jedných asi cirkusový stan neušijeme!"

„Sú naťahovacie!"

„Aj tak!"

Bela pokrútila hlavou.

„Na výrobu cirkusového stanu by sme potrebovali stovky nohavičiek. Kde by sme ich asi tak našli?"

„NIE JE NIČ ĽAHŠIE, DIEŤA!" odvetila stará mama. „JEDNODUCHO ICH ČMAJZNEME!"

Nápad starej mamy bol naozaj jednoduchý. A ÚPL-
NE ŠIŠNUTÝ!

Babrákovci nasadnú do svojho hrdzavého auta, Ba-
rónky, a poriadne šliapnu do pedálov. S Cecilom na
streche zamieria do najbližšej dediny. Zatiaľ čo budú
prechádzať záhradami, Cecil strhne zo šnúr na bieli-
zeň všetky nohavičky v okolí. Keď ich budú mať dosť,
vrátia sa domov a ušijú z nich cirkusový stan.

Babrákovci sa nasúkali do auta. Stará mama si sadla
za volant. Motor zdochol tak dávno, že už si ho nik
nepamätal. Auto fungovalo na PEDÁLOVÝ PO-
HON. Vo vnútri boli štyri páry bicyklových pedálov.
Bianka nemusela šliapať. Mala sedieť v kufri a zbierať
bombardiaky, čo ukoristil Cecil.

Rodina čakala dopoludnia. O tom čase už bude
bielizeň visieť na šnúre a ľudia budú vo vnútri obe-
dovať.

Komorník stál pred dverami panstva a mával im na rozlúčku. Barónka sa vyrútila von cez zatvorenú bránu...

P R Á S K !

... a odrachotila do dediny.

Ukázalo sa, že Babrákovci mali šťastie. Na každej šnúre viseli bombardiaky. Stačilo sa načiahnuť a pozbierať ich ako jablká zo stromu.

Auto prefrnglo cez živý plot...

FRNNNG!

... a rútilo sa záhradami priamo k šnúram s bieliz-
ňou. Len čo boli nohavičky na dosah, Cecil natiahol
dlhý krk a schmatol ich do zobáka.

ĎOB!

Strhol ich zo šnúry...

ŠKLB!

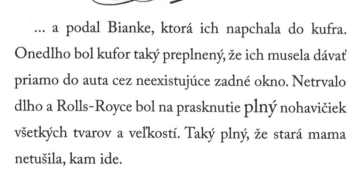

... a podal Bianke, ktorá ich napchala do kufra.
Onedlho bol kufor taký preplnený, že ich musela dávať
priamo do auta cez neexistujúce zadné okno. Netrvalo
dlho a Rolls-Royce bol na prasknutie plný nohavičiek
všetkých tvarov a veľkostí. Taký plný, že stará mama
netušila, kam ide.

Barónka vrazila do poštovej schránky...

DRŠ!

... zdemolovala dopravnú značku...

BUM!

... a odhodila z cesty telefónnu búdku.

ŠLÁH!

Nakoniec čľupla do rybníka!

ČĽUP!

„POMOC!"

„NIÉÉÉ!"

„ÁÁÁÁ!" kričali Babrákovci na ratu.

Dokonca i Cecil, ktorý bol stále na streche, zo seba vydal vystrašené:

„ŠKREK!"

„UPOKOJTE SA, BABRÁKOVCI," prikázal Bohuš, zatiaľ čo sa do auta valila voda.

„BARÓNKA! PLÁVACÍ REŽIM!"

Stisol špeciálny červený gombík na prístrojovej doske.

PARÁDA!

Pneumatiky sa nafúkli a z boku auta sa vysunuli plutvy.

Z BARÓNKY SA STAL AUTOČLN!

„Môj najnovší vynález! Člnomobil! A teraz do toho šliapnite, Babrákovci! Rýchlejšie než kedykoľvek predtým!"

Rodina zúrivo šliapala do pedálov a jediný obojživelný Rolls-Royce na svete sa vydal na plavbu po rybníku.

Š P L E C H !

Onedlho bola Barónka v bezpečí na trávniku.

Stará mama si z tváre stiahla nohavičky.

„SUPER PRÁCA, BABRÁKOVCI!" zvolal Bohuš.

„Neverila by som, že to raz poviem, synak, no konečne si vynašiel niečo užitočné," pochválila ho stará mama.

„Och, ďakujem, mamulienka!"

„A teraz domov!" zavelila Bianka. „Musíme ušiť cirkusový stan z nohavičiek!"

Podarilo sa ti už niekedy ušiť stan zo sto párov nohavičiek?

Mne áno, ale iba dva či tri razy. Poviem ti – nie je to ľahká úloha!

Komorník priniesol škatuľu s potrebami na šitie. Bolo v nej dvanásť ihiel a kilometer nite. Nasledujúcich pár hodín Babrákovci šili, šili a šili. Napokon ušili najväčší stan, aký svet kedy videl (ak sa ti už pošťastilo uvidieť väčší stan z nohavičiek, vrátim ti za túto knihu peniaze).

Babrákovci vztýčili NOHAVIČKOVÝ STAN a na zem roztrúsili piliny. Manéž bola na svete.

Po celej dedine vylepili plagáty hlásajúce príchod

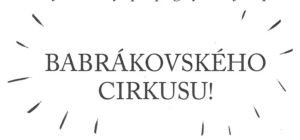

BABRÁKOVSKÉHO
CIRKUSU!

BABRÁKOVCI PREDSTAVUJÚ...

BABRÁKOVSKÝ CIRKUS!

TRISTOSEDEMDESIATA
DEVIATA
NAJLEPŠIA ŠOU NA SVETE!

V SOBOTU VEČER NA
BABRÁKOVSKOM PANSTVE.
OBJEDNÁVAJTE RÝCHLO!
SKLAMANIE ZARUČENÉ!

Bianka bola hrdou majiteľkou červeného fraku, pumpiek a jazdeckých čižiem. Väčšinu dňa totiž trávila na chrbte vymysleného koňa. Preto jej pripadla rola PRINCIPÁLKY. Mala vítať hostí a uvádzať jednotlivé čísla.

Predstavenie na visutej hrazde patrí do každého správneho cirkusu. Je nielen vzrušujúce, ale predovšetkým nádherné. Pripomína tanec vo vzduchu. Bela si toto číslo uchmatla pre seba. Zrodila sa PÔSOBIVÁ BELINA ŠOU NA TRAPÉZE. Svoje číslo vôbec nenacvičovala. Načo aj? Bola predsa expertkou na všetko.

Bohuš sa rozhodol žonglovať. Najprv to skúsil s troma loptičkami, hneď mu však popadali.

BUCH! BUCH! BUCH!

Potom vyskúšal s dvoma. Stihol ich podobný osud.

BUCH! BUCH!

Napokon sa rozhodol žonglovať s jednou loptičkou. Žiaľ, ani to mu nešlo.

BUCH!

A čo tak skúsiť to bez loptičiek? HURÁ! Ukázalo sa, že v žonglovaní bez loptičiek je Bohuš šampión!

Svoje číslo nazval... ŽONGLÉR HORE BEZ!

BABRÁKOVCI

Bonifác miloval smrteľne nebezpečné cirkusové čísla, a tak si pre divákov pripravil predstavenie s názvom BONIFÁC – DETSKÝ KASKADÉR.

Z kusov starého dreva si vyrobil GUĽU SMRTI. V cirkuse slúži na to, aby v nej motorkári predvádzali kaskadérske kúsky. Babrákovci však žiadnu motorku nemali. Bonifác si musel vystačiť so staručkým velocipédom.

VELOCIPÉD

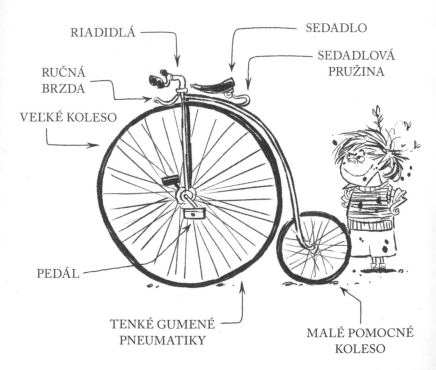

RIADIDLÁ

SEDADLO

SEDADLOVÁ PRUŽINA

RUČNÁ BRZDA

VEĽKÉ KOLESO

PEDÁL

TENKÉ GUMENÉ PNEUMATIKY

MALÉ POMOCNÉ KOLESO

Hoci komorník neoplýval zmyslom pre humor, na jednu noc sa mal stať klaunom. Jeho číslo dostalo názov KOMORNÍK — PRIEMERNE ZÁBAVNÝ KLAUN.

Bela sa zmocnila maminho mejkapu a zmaľovala starca na nepoznanie:

Pravdupovediac, viac než klauna pripomínal šľahačkový pohár.

Komorník sa dozvedel, že klauni prichádzajú na scénu v klaunskom aute, ktoré sa za jazdy rozpadáva. Barónka bude na túto úlohu ako stvorená!

PRVÝ LIETAJÚCI PŠTROS NA SVETE!

Musíš uznať, že toto číslo znie fantasticky!

Bianka bola presvedčená, že Cecil sa stane HLAVNOU HVIEZDOU BABRÁKOVSKÉHO CIRKUSU.

Cecil o tom pochyboval.

„ŠKREK!"

Najmä keď zbadal, že Babrákovci dotlačili do cirkusového stanu delo zo strechy panstva. Zamával krídlami v snahe odletieť. Vtom si uvedomil, že nevie lietať. V tom tkvela podstata jeho čísla.

„Žiadny strach, Cecil," upokojovala ho Bianka. „BUDE Z TEBA HVIEZDA!"

„ŠKREK!"

Už zostávala len stará mama. Trvala na tom, že jej číslo musí byt ZLATÝM KLINCOM PROGRAMU. Nikomu však neprezradila, čo bude robiť. Vedeli len toľko, že sa na celé popoludnie vytratila z domu, aby čosi vyzdvihla.

Všetci nervózne čakali na VEĽKOLEPÉ PRE-
KVAPENIE STAREJ MAMY.

V ten večer sa Babrákovci s komorníkom a Cecilom
stretli v záhrade. Nevedeli sa dočkať začiatku pred-
stavenia! Zvedavo nakúkali do nohavičkového sta-
nu a sledovali obecenstvo, čo sa usádzalo a čakalo na
BABRÁKOVSKÝ CIRKUS.

„POZRITE!" zhíkol Bohuš. „To je muž z banky!"

Bolo to skutočne tak. Sedel v prvom rade so sa-
moľúbym výrazom a netrpezlivo kontroloval čas na
zlatých vreckových hodinkách. Z oboch strán ho ob-
klopovali prísni policajti.

„Je tu priskoro!" vykríkla Bianka.

„Iba o pár hodín. Dnes o polnoci bude Babrákovské panstvo patriť banke. Stavím sa, že ten krpatý darmožráč si už brúsi zuby na náš dom!“

„Dnes musíme podať najlepší výkon v živote! Ukážeme tomu darebákovi, že s Babrákovcami sa neradno zahrávať.“

„HURÁ!“

„I keby dnes prišlo iba milión divákov, na záchranu Babrákovského sídla to postačí!“

„DVAKRÁT HURÁ!“

Bela potiahla nosom.

„Čo je to za odporný smrad?!" zvolala.

Babrákovci zavetrili.

„HOVIENKA!" vykríkol Bonifác. Zápach hovienok mu bol dôverne známy. „A nie pštrosie!"

Cecil prikývol. Ovoňal starú mamu a ukázal na ňu zobákom.

„Stará mama?" oslovila ju Bela. „Prečo smrdíš od hovienok?"

„Azda našim hosťom nepokazíme prekvapenie, drahé dieťa!" odvetila a žmurkla.

„IDE SA NA TO, BABRÁKOVCI!" zvolala.

343

„VITAJTE V BABRÁKOVSKOM CIRKUSE!"
zvolala Bianka, cválajúc na Pegasovi. Klusala okolo
arény a plieskala sa po zadku jazdeckým bičíkom.

Muž z banky si prekrížil ruky na hrudi a pohoršene
krútil hlavou.

„Taká blbosť!" zahundral smerom k policajtom,
ktorí sa škodoradostne zachechtali.

„Ha! Ha!"

„AKO PRVÝ SA VÁM PREDSTAVÍ MÔJ
MANŽEL, LORD BABRÁK, ŽONGLÉR HORE
BEZ!" oznámila Bianka.

Keď Bohuš vošiel do arény, z gramofónu sa ozvala
dramatická hudba. Vzápätí predviedol dokonalé žon-
glérske číslo, len bez loptičiek. Vyhodil deväť neexis-
tujúcich loptičiek nad hlavu a chytil ich za chrbtom.
Potom naukladal neviditeľné loptičky na seba a ba-
lansoval s nimi na špičke nosa. Dokonca žongloval

so všetkými deviatimi neloptičkami v jednej ruke. Bohuš bol bezpochyby najlepší žonglér bez loptičiek v krajine. Obecenstvo však nepresvedčil.

„OTRASNÉ!"

„AJ MEDÚZA ŽONGLUJE LEPŠIE NEŽ TY!"

„VYPADNI!"

„SKÚS ŽONGLOVAŤ S TÝMTO!" zreval provokatér zo zadného radu a šmaril po ňom vajce natvrdo.

Š V Á C !

Bohuš ho na veľké prekvapenie publika chytil. Priamo do úst!

„HURÁ!" zaburácal dav.

„HOĎ MI HO NASPÄŤ!" ozval sa vtipkár zozadu.

Bohuš si odhryzol z vajca. Publikum sa rozosmialo.

CHRUM!

„HA! HA!"

Potom hodil vajce späť. Nanešťastie trafil muža z banky. Rovno do nosa!

BUM!

„AU!"

„HA! HA! HA!"

„PREPÁČTE!" hlesol. Kývol svojej žene, ktorá rýchlo uviedla ďalšie číslo.

„PRIŠIEL ČAS NA KVAPKU NEBEZPEČEN-STVA! DOVOĽTE MI PREDSTAVIŤ MÔJHO SYNA BONIFÁCA A JEHO GUĽU SMRTI!"

To bolo znamenie pre Bohuša, aby na scénu dogú-ľal obrovskú drevenú konštrukciu pre svojho syna.

G Ú Ú Ú Ú Ú Ľ !

Otvoril dvierka na boku gule a Bonifác vošiel do cirkusovej arény na velocipéde.

„Ako tam chce napchať tú ozrutu?" zakričal niekto z publika.

Na tento detail chlapec pozabudol. Velocipéd bol skutočne priveľký, aby sa zmestil do gule smrti.

Obrovské predné koleso narazilo do gule.

DONK!

Bonifác preletel cez riadidlá.

V U Š Š Š !

„ÁÁÁÁ!"

Pristál na drevenej guli. Vyškriabal sa na nohy a postavil sa navrch. Nohy sa mu triasli, zatiaľ čo sa snažil udržať rovnováhu, aby nespadol.

Guľa sa pohla vpred...

GÚÚÚÚÚÚĽ!

... rovno na muža z banky!

„STOJ!" zreval, keď zbadal, že sa naňho rúti obrovská guľa smrti.

No Bonifác nedokázal zastaviť. Prevalcoval muža z banky, ktorý zmizol v otvorených dvierkach. Zostal uväznený vo vnútri ako škrečok!

„OKAMŽITE MA PUSTITE VON!"

„HA! HA! HA!" rehotalo sa publikum, keď guľa zrámovala policajtov, čo sa mužovi z banky ponáhľali na pomoc.

„Och, nie!" vzdychla si Bianka. „Prepánajána! Veľmi ma to mrzí. Hneď vás odtiaľ dostaneme!" Potom sa otočila k obecenstvu. „NO NAJSKÔR TROCHU SRANDY S KOMORNÍKOM – PRIEMERNE ZÁBAVNÝM KLAUNOM!"

„POVEDAL SOM, ABY STE MA PUSTILI! HNEĎ!"

Na taľafatky však už nebol čas, pretože KOMOR-NÍK – PRIEMERNE ZÁBAVNÝ KLAUN – práve prišiel na scénu v Barónke. Staručký Rolls-Royce nemal brzdy, a tak napálil priamo do gule smrti.

BAM!

„NIÉÉÉ!" volal muž z banky na ratu.

Guľa smrti sa rozpadla. Barónka nasledovala jej príklad.

Najskôr jej odpadli kolesá.

Potom dvere.

Karoséria sa rozpadla na polovicu.

Komorník sedel na dlážke pokrytej pilinami. V ruke zvieral volant.

„HA! HA! HA!" smialo sa obecenstvo.

Muž z banky zúril.

„POMÔŽTE MI VSTAŤ, VY ŠAŠOVIA!" ziapal na policajtov.

Muži zákona ho zdvihli na nohy a posadili späť medzi divákov.

„TAKÁ DRZOSŤ!" durdil sa, oprašujúc si piliny zo svojho milovaného klobúka.

„A TERAZ PROSÍM PRIVÍTAJTE KRÁĽOVNÚ TRAPÉZY! PRICHÁDZA BELA BABRÁKOVÁ!" oznámila mama.

Bela vošla do cirkusovej arény vyobliekaná ako baletka. Publikum ju odmenilo vlažným potleskom.

Po povrazovom rebríku vyliezla až ku stropu cirkusového stanu. Hoci si svoje číslo nenacvičila, sebave domie jej rozhodne nechýbalo. Schmatla hojdačku a zavesila sa na ňu. Nič iné nevedela. Pomaly sa hojdala hore-dolu, až napokon zastala.

„JE TAM HORE VŠETKO V PORIADKU?"

„NIE, MAMULIENKA!" odvetila Bela, visiac vo vzduchu ako šimpanz zo stromu.

„VYDRŽ!"

„UŽ SA DLHŠIE NEUDRŽÍM!"

Otec, mama a mladší brat sa po povrazovom rebríku šplhali za ňou, aby ju zachránili.

„ŽIADNY STRACH!" kričal Bohuš. „BABRÁKOVCI TI IDÚ NA POMOC!"

Bela sa už držala len za malíčky. A tie sa jej šmýkali!

„POMÓÓÓÓC!" zvrieskla.

„VYDRŽ, MILÁČIK!" zvolala mama.

No Bela už nevládala. Šmykli sa jej prsty a rútila sa dolu!

V U Š Š Š Š Š Š !

„ÁÁÁÁÁÁ!"

Komorník zdola s hrôzou v očiach sledoval celú scénu. Stál vedľa dela, z ktorého trčala Cecilova hlava.

„Cecil! Si našou poslednou nádejou!" povedal a zapálil rozbušku.

SSSSSSSS!

Pštros odvážne prikývol.

„ŠKREK!"

„ZACHRÁŇ NAŠU BELU!"

BÁCH! Delo vybuchlo.

Cecil vyletel von.

VZZZZUM!

„ÁÁÁÁÁ!" vrešťala Bela, rútiac sa k zemi.

Komorník to načasoval dokonale! Bela pristála Cecilovi na chrbte!

ŽUCH!

Publikum s ústami dokorán sledovalo lietajúceho pštrosa. A nie hocijakého! Lietajúceho pštrosa s lietajúcim dievčaťom na chrbte!

Diváci sa pri pohľade na neuveriteľné predstavenie postavili zo stoličiek. Dokonca i dvojica policajtov.

„BRAVO!"

BABRÁKOVSKÝ CIRKUS JE NAJLEPŠIA ŠOU NA SVETE!

Jediný, kto sa nepridal k ováciám, bol muž z banky. Nadurdene sedel na stoličke s prekríženými rukami a odmietol tlieskať.

Cecil s Belou narazili do steny cirkusového stanu.

ŤUP!

Energia z dela, ktorá ich poháňala, sa minula. Padali na zem. Bela zovrela Cecila nohami a chňapla po stane.

„MÁM ŤA, CECIL!" zvolala.

Rútili sa nadol a pri páde strhli nohavičkovú stenu.

PUK!

Švy, ktoré držali nohavičky pohromade, popraskali.

Veľký cirkusový stan sa rozpadal. Vo vzduchu sa trepotali stovky nohavičiek a pomaly plachtili k nohám prekvapeného publika.

ŠUUUUUP!

Onedlho muža z banky pochovala hora nohavičiek.

„NOHAVIČKY!" kričal zúfalo.

Zatiaľ čo zhora padali ďalšie a ďalšie, návštevníci z dediny pochopili, z čoho je vyrobený stan.

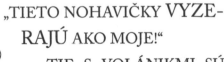

„TIETO NOHAVIČKY VYZE-RAJÚ AKO MOJE!"

„TIE S VOLÁNIKMI SÚ MOJE!"

„TIE RUŽOVÉ SÚ MI AKÉSI POVEDO-MÉ!"

„CELÝ STAN VYROBILI Z NOHAVIČIEK!"

„NEDÁVNO MI ZMIZLI ZO ŠNÚRY NA BIELIZEŇ!"

„AJ MNE!"

„MNE TIEŽ!"

„TIETO BOLI MOJE NAJ-OBĽÚBENEJŠIE A VY STE ICH ZNIČILI!" zvolal vikár.

„BABRÁKOVCI! VRÁŤTE NÁM NAŠE NOHAVIČKY!"

„BOMBARDIAKOVÍ BANDITI!"

„ODHALILI SME TAJNÉ NOHAVIČKOVÉ SPRISAHANIE!"

Na záhrade sa schyľovalo k NOHAVIČKOVÉMU PREVRATU! V tej chvíli sa začala chvieť zem.

DRG! HEG!

„ZEMETRASENIE!" zvrieskol vikár.

No bolo to čosi celkom iné.

VI

TO NEMÔŽE BYŤ PRAVDA!

NESKUTOČNÉ!

NEMOŽNÉ!

A PREDSA!

HROCH!

Nie len obyčajný hroch, ale

CVÁLAJÚCI

HROCH!

Nie len obyčajný

cválajúci hroch,

ale CVÁLAJÚCI

HROCH A NA ŇOM

STARÁ PANI

ZVIERAJÚCA MUŠ-

KETU!

„DÁMY A PÁNI! DIEVČA-

TÁ A CHLAPCI!" zvolala Bianka

s nohavičkami na hlave. „PROSÍM, POSAĎTE SA! PRICHÁDZA ZLATÝ KLINEC PROG-RAMU! POTLESK PRE STARÚ MAMU A NOSOROŽCA!"

„HROCHA!" zasyčala stará mama.

„HROCHA!"

„To bol ten nechutný smrad," šepla Bela bratovi. „Hrošie hovienka."

„Dobrá práca, Sherlock!"

Návštevníkom ani nenapadlo vrátiť sa na svoje miesta. Tak či onak by ich pod hŕbou nohavičiek nenašli. Bol najvyšší čas UTIECŤ, BEŽAŤ O ŽIVOT! (So správnymi nohavičkami v ruke!)

„ÁÁÁĆH!"

„POMOC!"

„UTEKAJME!"

„TO SÚ MOJE NOHAVIČKY!"

„NIE! SÚ MOJE!"

V cirkusovom stane zostal len muž z banky, ktorý sa ešte stále nevyhrabal spod kopy nohavičiek. Dvaja policajti mu pomáhali.

„PŔŔŔŔ, DIDI!" vykríkla stará mama a cválajúci hroch poslušne zastal.

„Ako sa ti podarilo zohnať hrocha, stará mama?" spýtala sa Bela.

„Ukradla, vlastne *požičala* som si ho z miestnej ZOO."

„TÚT!"

„Je úžasná!" rozplývala sa Bela a potľapkala Didi po chrbte.

Cecil nevedel, čo si má o tom čudnom tvorovi myslieť. Opatrne okolo neho krúžil.

„ŠKREK!"

„Škoda, že Didi hosťom nestihla predviesť svoje tanečné vystúpenie!"

„TÚT!" súhlasne zatrúbila Didi.

Muž z banky sa konečne vyhrabal spod hŕby nohavičiek. Skontroloval čas na zlatých hodinkách.

„Je polnoc!" oznámil. „Váš čas vypršal, Babrákovci! Od tejto chvíle patrí Babrákovské panstvo banke! Okamžite odtiaľto vypadnite, inak vás nechám zatknúť!"

Babrákovci zdesene hľadeli jeden na druhého.

VII

„Nič také nespravíme!" zvolala stará mama z hrošieho chrbta. „Zabudli ste na peniaze, čo sme zarobili na dnešnom cirkusovom predstavení!"

Všetky oči sa otočili k Bianke.

„Dokelu! Vedela som, že som na niečo zabudla!" zakvílila.

„Nevyzbierali ste ani libru, však?" spýtal sa muž z banky medovým hlasom.

Pokrútila hlavou a v očiach sa jej zaligotali slzy.

„Je mi to tak ľúto!"

„Netráp sa, miláčik," ozval sa Bohuš. „Aj tak ťa ľúbime! Koniec-koncov, to ja som našu rodinu dostal do tejto šlamastiky."

„Ste banda idiotov, Babrákovci!" posmešne zvolal muž z banky.

„Stojí to tu čierne na bielom," povedal a zamával im zmluvou pred nosom. „A títo policajti sa postarajú, aby ste našu dohodu dodržali! Z tohto domu bude Babrákovská polepšovňa a basta!"

„Z BABRÁKOVSKÉHO PANSTVA NÁS NIKDY NEDOSTANETE!"

„Prosím! Dovoľte nám zostať! Je to náš domov!" prosíkala Bela.

„KEĎ NAPRŠÍ A USCHNE!" odvetil škodoradostne muž z banky. „Už vás nikto a nič nezachráni!"

Našťastie sa mýlil.

Pretože v tej chvíli Cecil konečne prestal krúžiť okolo Didi. Zastal pri statnom hrošom zadku a spravil to, k čomu ho priam pozýval. Ďobol doň!

ĎOB!

„TÚÚÚÚÚÚÚÚÚÚÚÚÚÚÚÚÚÚÚ ÚÚÚÚÚÚÚÚT!" zatrúbil hroch.

Didi sa pustila do cvalu. Stará mama sa jej držala okolo tučného krku ako kliešť.

„DIDI! STOJ!"

No Didi nepočúvala. Rútila sa rovno na muža z banky.

„NIÉÉÉ!" zvrieskol. Od hrôzy primrzol na mieste.

Policajti uskočili nabok. Komorník sa rozbehol a vrhol sa na naňho.

S K O K !

Pristál na mužovi a odhodil ho z cesty.

ŽUCH!

Dvojica tvrdo dopadla na zem. Hroch precválal okolo nich.

„ZLEZTE ZO MŇA!" zreval muž z banky na komorníka, ktorý na ňom ležal.

„Len som sa vám snažil zachrániť život, pane," odvetil komorník.

„Nabudúce to už nerobte!"

„S radosťou, pane!"

„ZATKNITE ICH! VŠETKÝCH ZA-TKNITE! VRÁTANE TOHO HROCHA!"

„STOJ! DIDI! ZASTAV!" kričala stará mama.

V snahe zastaviť rozblázneného hrocha stará mama vypálila ranu do vzduchu.

BUM!

Chyba. Veľká chyba!

„T Ú T!"

Didi sa postavila na zadné a vyrazila k Babrákovskému panstvu.

VIII

Hroch sa rozbehol
hlavou proti múru a pre-
búral sa priamo do jedálne.

TRESK!

„TÚÚÚT!"

Potom prerazil stenu
v jedálni a vrútil sa
do tanečnej sály.

DRUZG!

„TÚÚÚT!"

Potom zbúral stenu ta-
nečnej sály a vbe-
hol do kuchyne.

BUM!

„TÚÚÚT!"

Bol ako neriadená strela!

Nakoniec sa cez kuchyn-

skú stenu vyrútil von z do-
mu.

PLESK!

„TÚÚÚT!“

„DIDI! PRIKA-
ZUJEM TI, ABY SI
OKAMŽITE ZA-
STALA!“ vykríkla sta-
rá mama. Pokrývala ju
hrubá vrstva prachu.

Vypálila ďalšiu ranu
z muškety.

PIF! PAF!

Hroch sa úplne odtrhol
z reťaze! Stará mama
spadla na zem...

ŽUCH!

... a odkotúľala sa do
bezpečia.

Hroch zatiaľ ničil jed-
nu stenu za druhou.

TRESK!

„TÚÚÚT!"
TRESK!
„TÚÚÚT!"
TRESK!
„TÚÚÚT!"
„P R O S Í M ,
PRESTAŇ!" kričali
Babrákovci, no hroch si
ich nevšímal.

Babrákovské panstvo
bolo v troskách.

TREEEESK!
Dom sa rúcal.

RAAAACH!
Tehly padali na
zem.

BUUUUM!
Babrákovci, ko-
morník, Cecil a muž
z banky sa bez-
mocne prizera-
li celej tej skaze.

Babrákovské panstvo sa zrútilo!

TRESKYPLESKYBUM!

Kedysi patrilo k najmajestátnejším domom Anglicka. Teraz z neho zostala len hromada trosiek.

IX

Bela sa rozplakala.

„NIÉÉÉÉ!"

„Ach, Bohuš! Čo len budeme robiť?" spýtala sa Bianka.

„S čím?"

„S TÝM, ŽE SA NÁM ZRÚTIL DOM!"

„Ach, áno, áno. Už viem, čo myslíš. Žiaľ, vec sa má tak, že nemôžeme robiť nič. Náš milovaný domov už nejestvuje."

Bonifác sa obrátil k mužovi z banky. „Nuž, aspoň ho už nemôžete zmeniť na polepšovňu, však?"

Muž penil od zúrivosti.

„NIE! Ten dom je úplne bezcenný! BEZCENNÝ!"

Roztrhal zmluvu na tisíc kúskov a vy-

hodil ich do vzduchu. Pomaličky ako konfety padali na zem.

Potom nahnevane vykročil k hrochovi.

„VŠETKO JE TO TVOJA CHYBA, TÝ HLÚPE ZVIERA!"

Hroch sa na smrť urazil.

„TÚÚÚT!"

Zastrihal ušami. Zúžili sa mu oči. Rozšírili sa mu nosné dierky. Otočil sa a pomaly kráčal k mužovi z banky. Policajti taktne ustúpili.

„Ehm... nemyslel som *hlúpe*," koktal, zatiaľ čo sa k nemu zviera hrozivo približovalo. Urobil krok vzad a rozbehol sa.

„NIÉÉÉ!" zvrieskol, keď sa Didi pustila za ním.

„TÚÚÚT! TÚÚÚT! TÚÚÚT!"

„ÁÁÁÁÁÁÁ!" kričal a pokúšal sa ujsť. Práve keď chcel naskočiť do svojho nablýskaného Bentley, Didi naňho skočila.

BUM! VRZG! PRÁSK!

Auto vyzeralo, akoby ho prešiel parný valec.

Muž z banky si strhol z hlavy klobúk, hodil ho na zem a poskákal po ňom.

„NIE! NIE! NIE!" bedákal. „SOM NA DNE! NA DNE!"

Potom si ho položil späť na hlavu. Klobúk teraz pripomínal baretku. Všetci sa na ňom dobre zabávali.

„HA! HA!"

„ŠKREK!"

„TÚÚÚT!"

Muž ponížene vypochodoval cez vysokú kamennú bránu. Už ho nikdy nik nevidel.

„Ďakujeme vám za zábavný večer, Babrákovci," povedal jeden z policajtov.

„Ale už žiadne krádeže nohavičiek!" pohrozil druhý.

„Sľubujeme," jednohlasne odvetila rodina.

„Výborne!"

Policajti sa otočili na pätách a odkráčali. Po ceste sa minuli s Didi, ktorá sa vracala späť.

„Nuž, Babrákovci, vyzerá to tak, že sa budeme musieť rozlúčiť," vyhlásil komorník.

„Ako to myslíš?" spýtala sa Bianka. „Patríš do našej rodiny rovnako ako Pegas," dodala a potľapkala vymysleného koňa po chrbte.

„A rodina musí držať pokope," dodal Bohuš. „V dobrom i v zlom."

„Oveľa horšie to už byť nemôže," podotkla Bela.

„Aspoňže nám zostala táto kopa trosiek. Je to super ihrisko," potešil sa Bonifác.

Ich mamu to rozľútostilo. Oči sa jej zaliali slzami.

„Ach! Čo len budeme robiť?"

„JA VIEM, ČO SPRAVÍME!" vyhlásila stará mama. „OPÄŤ POSTAVÍME NÁŠ KRÁSNY

DOM! TEHLU PO TEHLE! BABRÁKOVCI PRE BABRÁKOVCOV!"

„Aj s novým hroším krídlom pre Didi!" zvýskla Bela.

„TÚÚÚT!" súhlasil hroch.

Cecil si nebol taký istý. Potriasol hlavou a zaškriekal.

„ŠKREK!"

Bianka prehĺtala slzy.

„Ale Babrákovcom už predsa nič nezostalo. Nič. Vôbec nič!"

„Mýliš sa, drahá," odvetil Bohuš. „Máme všetko, pretože máme jeden druhého."

Ďalšie slová nebolo treba. Stará mama, Bohuš, Bianka, Bela, Bonifác a Cecil sa zhrčili do veľkého rodinného objatia. Didi sa k nim pridala.

„Poď k nám, komorník!" povedal Bohuš.

Komorník sa k nim s úsmevom pritúlil.

„Moji milí Babrákovci! Tak veľmi vás všetkých ľúbim!" dojato vyhlásil Bohuš.

„Aj my ťa ľúbime," odvetila rodina.

Jediný, kto sa nepridal, bol Bonifác.

Namiesto toho vyhlásil:

„Myslím, že sa povraciam!"

KONIEC

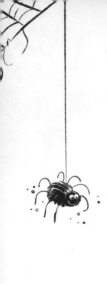